18歳頃の中原中也（大正14年）

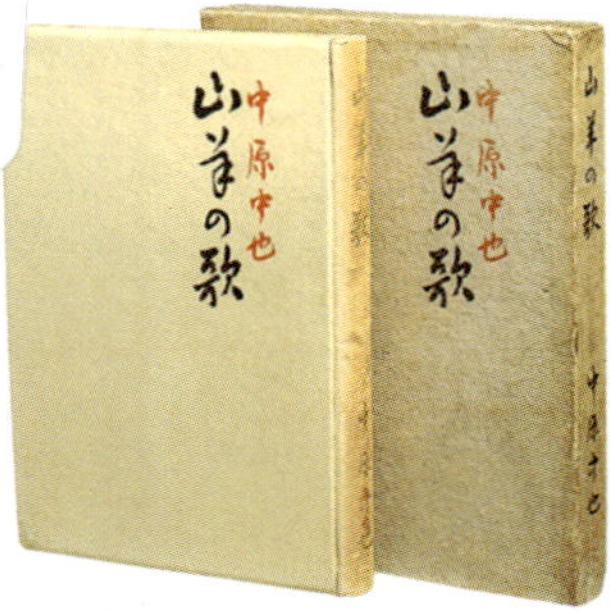

『山羊の歌』
（昭和9年12月、文圃堂書店刊）

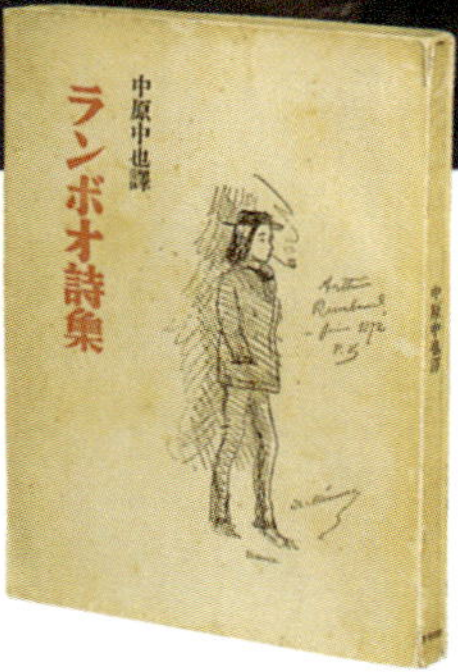

『ランボオ詩集』（昭和12年9月、野田書房刊）

29歳の中也（昭和11年）

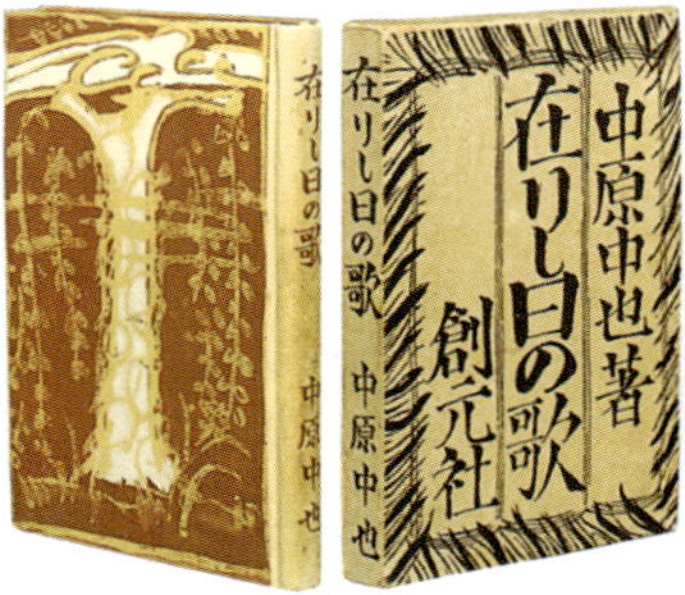

『在りし日の歌』（昭和13年4月、創元社刊）

歳の中也と両親（謙助とフク）

1歳4か月の中也
（明治41年、旅順にて）

中也と弟たち（大正10年頃。前列左より吾郎・思郎・恰三、後列左から中也・拾郎）

学3年の中也

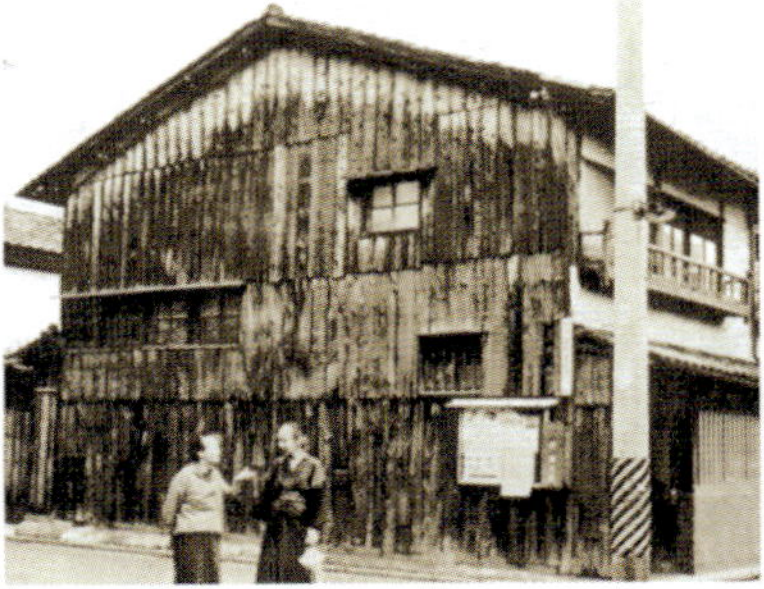

長谷川泰子と住んだ上京区の下宿

女学校卒業当時の長谷川泰子

18歳頃の富永太郎

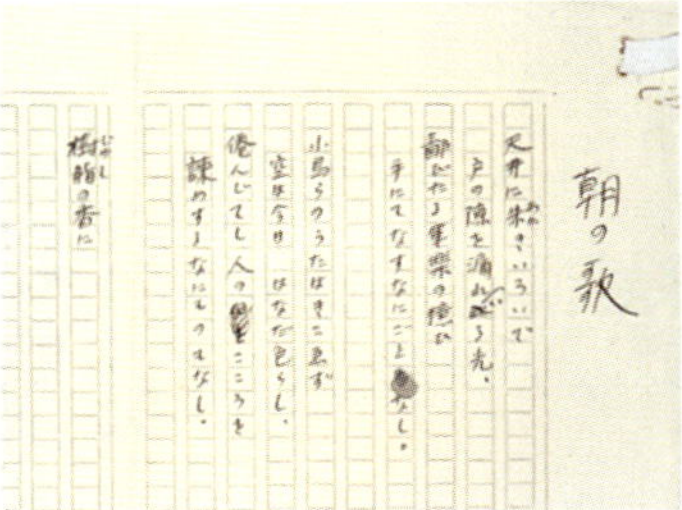

朝の歌

天井に朱きいろいで
戸の隙を漏れ入る光、
鄙びたる軍楽の憶ひ
手にてなすなにごともなし。
小鳥らのうたはきこえず
空は今日 はなだ色らし、
倦んじてし 人の心を
諫めする なにものもなし。
樹脂の香に

「朝の歌」草稿（昭和7年頃）

立命館中学3年修了時の記念写真（写真裏面に「記念にと思ふ心よ　あるものか！ 思ひ出は淋しきに思ひ出は悲しきに　1924.2.1」）

昼寝をする中也。宮崎県東郷村に高森文夫を訪ねたときに、高森が写した写真（高森牧夫所蔵。昭和7年8月か10年7月）

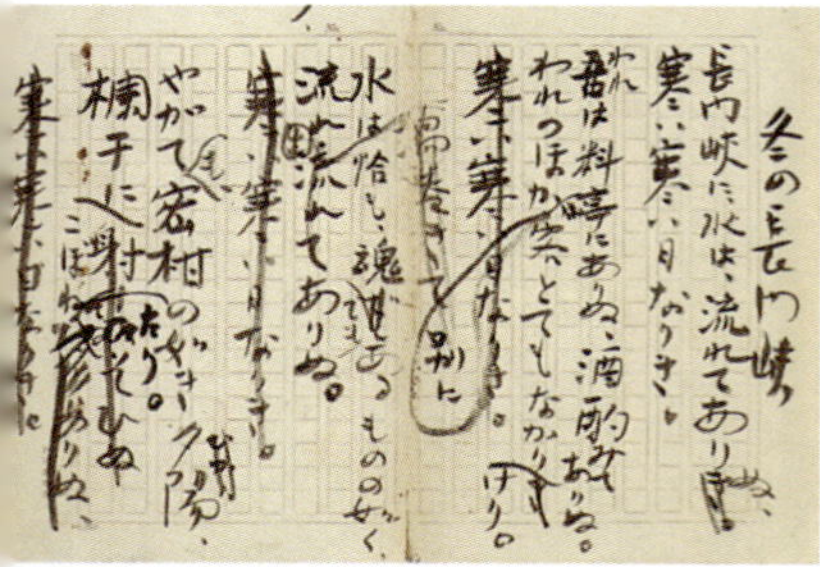

「冬の長門峡」草稿（昭和11年12月）

結婚記念写真
（昭和8年12月3日撮影。中也26歳）

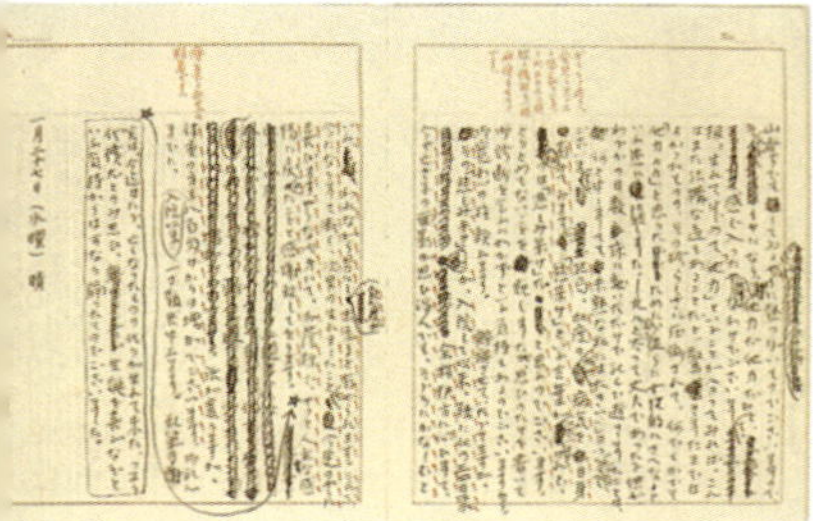

「療養日誌」（昭和12年1月）

中原中也全詩集

中原中也

角川文庫
14901

中原中也全詩集 *目次

少年時

みちこ

秋

羊の歌

在りし日の歌

在りし日の歌

未発表詩篇

凡例

1　角川ソフィア文庫『中原中也全詩集』に収録した詩篇については、角川書店版『新編中原中也全集』（平成12年―16年刊）の第一巻「詩Ⅰ」、及び第二巻「詩Ⅱ」を底本とし、詩篇のすべてを収録した。

①校訂・表記、及び未発表詩篇の配列についても、すべて新編全集に準拠した。

②未発表詩篇の中で、題名のないものについては、最初の一行を（　）に括って仮の題とした。

③振り仮名については、著者の振り仮名は歴史的仮名遣い、編者の振り仮名についでは（　）に括って現代仮名遣いで区別した。

④語註については、新編全集の語註を参考に編集部で作成した。

2　巻末の参考資料について

①大岡昇平「中原中也伝――揺籃」は、筑摩書房版『大岡昇平全集』第18巻（平成七年刊）を底本とした。初出は「文芸」（昭和二四年八月）。引用された中原中也の詩は底本のままとした。

②小林秀雄「中原中也の思ひ出」は、新潮社版『小林秀雄全集』第九巻（平成13年刊）を底本とした。初出は「文芸」（昭和二四年八月）。引用された中原中也の詩は底本のままとした。

山羊の歌

初期詩篇

春の日の夕暮

トタンがセンベイ食べて
春の日の夕暮は穏かです
アンダースローされた灰が蒼ざめて
春の日の夕暮は静かです

吁《ああ》！ 案山子《かかし》はないか――あるまい
馬嘶《いなな》くか――嘶きもしまい
ただただ月の光のヌメランとするまゝに
従順なのは　春の日の夕暮か

ポトホトと野の中に伽藍は紅く
荷馬車の車輪　油を失ひ
私が歴史的現在に物を云へば

嘲《あざけ》る嘲る　空と山とが

瓦が一枚　はぐれました
これから春の日の夕暮は
無言ながら　前進します
自《み》らの　静脈管の中へです

月

今宵月はいよよ愁《かな》しく、
養父の疑惑に瞳を睜《みは》る。
秒刻《とき》は銀波を砂漠に流し
老男《らうなん》の耳朶《じだ》は蛍光をともす。

あゝ忘られた運河の岸堤
胸に残つた戦車の地音
銹《さ》びつく鑵《かん》の煙草とりいで
月は懶《ものう》く喫つてゐる。

それのめぐりを七人の天女は
趾頭《しとう》舞踊しつゞけてゐるが、
汚辱に浸る月の心に

なんの慰愛もあたへはしない。
遠《をち》にちらばる星と星よ！
おまへの劊手《（そうしゆ）》を月は待つてる

サーカス

幾時代かがありまして
　茶色い戦争ありました

幾時代かがありまして
　冬は疾風吹きました

幾時代かがありまして
　今夜此処《ここ》での一《ひ》と殷盛《さか》り
　　今夜此処での一と殷盛り

サーカス小屋は高い梁《はり》
　そこに一つのブランコだ
見えるともないブランコだ

頭倒《さか》さに手を垂れて
　汚れ木綿の屋蓋《やね》のもと
ゆあーん　ゆよーん　ゆやゆよん

それの近くの白い灯が
　安値《やす》いリボンと息を吐き

観客様はみな鰯《いわし》
　咽喉《のんど》が鳴ります牡蠣殻《かきがら》と
ゆあーん　ゆよーん　ゆやゆよん

　屋外《やぐわい》は真ッ闇《くら》　闇《くら》の闇《くら》
　夜は劫々と更けまする
　落下傘奴《らくかがさめ》のノスタルヂアと
ゆあーん　ゆよーん　ゆやゆよん

春の夜

燻銀《いぶしぎん》なる窓枠の中になごやかに
　一枝の花、桃色の花。
月光うけて失神し
　庭《には》の土面《つちも》は附黒子《つけぼくろ》。
あゝこともなしこともなし
　樹々よはにかみ立ちまはれ。
このすゞろなる物の音《ね》に
　希望はあらず、さてはまた、懺悔もあらず。
山虔《(つつま)》しき木工のみ、

夢の裡《うち》なる隊商のその足竝《あしなみ》もほのみゆれ。

窓の中《うち》にはさはやかの、おぼろかの
　砂の色せる絹衣《ごろも》。

かびろき胸のピアノ鳴り
　祖先はあらず、親も消《け》ぬ。

埋みし犬の何処《いづく》にか、
　蕃紅花色《さふらんいろ》に湧きいづる
　　春の夜や。

朝の歌

天井に　朱《あか》きいろいで
戸の隙を　洩れ入る光、
鄙《ひな》びたる　軍楽の憶ひ
手にてなす　なにごともなし。

小鳥らの　うたはきこえず
空は今日　はなだ色らし、
倦《う》んじてし　人のこころを
諫《いさ》めする　なにものもなし。

樹脂《じゆし》の香に　朝は悩まし
うしなひし　さまざまのゆめ、
森竝《もりなみ》は　風に鳴るかな

ひろごりて　たひらかの空、
　土手づたひ　きえてゆくかな
うつくしき　さまざまの夢。

臨終

秋空は鈍色《にびいろ》にして
黒馬の瞳のひかり
　水涸《か》れて落つる百合花
　あゝ　こころうつろなるかな

神もなくしるべもなくて
窓近く婦《をみな》の逝きぬ
　白き空盲《めし》ひてありて
　白き風冷たくありぬ

窓際に髪を洗へば
その腕の優しくありぬ
　朝の日は澪《こぼ》れてありぬ

水の音したたりてゐぬ

町々はさやぎてありぬ
子等の声もつれてありぬ
しかはあれ　この魂はいかにとなるか？
うすらぎて　空となるか？

都会の夏の夜

月は空にメダルのやうに、
街角《まちかど》に建物はオルガンのやうに、
遊び疲れた男どち唱ひながらに帰つてゆく。
――イカムネ・カラアがまがつてゐる――

その脣《くちびる》は胠《ひら》ききつて
その心は何か悲しい。
頭が暗い土塊になつて、
ただもうラアラア唱つてゆくのだ。

商用のことや祖先のことや
忘れてゐるといふではないが、
都会の夏の夜《よる》の更《ふけ》――

死んだ火薬と深くして
眼に外燈の滲みいれば
ただもうラアラア唱つてゆくのだ。

秋の一日

こんな朝、遅く目覚める人達は
戸にあたる風と轍《わだち》との音によつて、
サイレンの棲む海に溺れる。

夏の夜の露店の会話と、
建築家の良心はもうない。
あらゆるものは古代歴史と
花崗岩のかなたの地平の目の色。

今朝はすべてが領事館旗のもとに従順で、
私は錫と広場と天鼓のほかのなんにも知らない。
軟体動物のしやがれ声にも気をとめないで、
紫の蹲《しゃが》んだ影して公園で、乳児は口に砂を入れる。

（水色のプラットホームと
躁《（はしや）》ぐ少女と嘲笑《あざわら》ふヤンキイは
いやだ　いやだ！）

ぽけつとに手を突込んで
路次を抜け、波止場に出でて
今日の日の魂に合ふ
布切《きれ》屑《くづ》をでも探して来よう。

黄昏

渋つた仄暗《ほの》い池の面《おもて》で、
寄り合つた蓮の葉が揺れる。
蓮の葉は、図太いので
こそこそとしか音をたてない。

音をたてると私の心が揺れる、
目が薄明るい地平線を逐《お》ふ……
黒々と山がのぞきかかるばつかりだ
――失はれたものはかへつて来ない。

なにが悲しいつたつてこれほど悲しいことはない
草の根の匂ひが静かに鼻にくる、
畑の土が石といつしよに私を見てゐる。

——竟《つい》に私は耕やさうとは思はない！
ぢいつと茫然《ぼんやり》黄昏《たそがれ》の中に立つて、
なんだか父親の映像が気になりだすと一歩二歩歩みだすばかりです

深夜の思ひ

これは泡立つカルシウムの
乾きゆく
急速な――頑ぜない女の児の泣声だ、
鞄屋の女房の夕《ゆふべ》の鼻汁だ。

林の黄昏は
擦《かす》れた母親。
虫の飛交ふ梢のあたり、
舐子《おしやぶり》のお道化《（どけ）》た踊り。

波うつ毛の猟犬見えなく、
猟師は猫背を向ふに運ぶ。
森を控へた草地が

坂になる！

黒き浜辺にマルガレエテが歩み寄する
ヴェールを風に千々《ちぢ》にされながら。
彼女の肉は跳び込まねばならぬ、
厳《いか》しき神の父なる海に！

崖の上の彼女の上に
精霊が怪しげなる条《すぢ》を描く。
彼女の思ひ出は悲しい書斎の取片附け
彼女は直きに死なねばならぬ。

冬の雨の夜

冬の黒い夜をこめて
どしやぶりの雨が降つてゐた。
――夕明下《ゆふあかりか》に投げいだされた、萎《(しお)》れ大根《だいこ》の陰惨さ、
あれはまだしも結構だつた――
今や黒い冬の夜をこめ
どしやぶりの雨が降つてゐる。
亡き乙女達の声さへがして
aế ao, aế ao, ếo, aếo ếo！
その雨の中を漂ひながら
いつだか消えてなくなつた、あの乳白の脬嚢《(ひようのう)》たち……
今や黒い冬の夜をこめ
どしやぶりの雨が降つてゐて、
わが母上の帯締めも

雨水《うすゐ》に流れ、潰れてしまひ、
人の情けのかずかずも
竟《(つい)》に密柑《(みかん)》の色のみだつた？……

帰郷

柱も庭も乾いてゐる
今日は好い天気だ
　椽《えん》の下では蜘蛛の巣が
　心細さうに揺れてゐる

山では枯木も息を吐《つ》く
あゝ今日は好い天気だ
　路傍《みちばた》の草影が
　あどけない愁《かな》しみをする

これが私の故里《ふるさと》だ
さやかに風も吹いてゐる
　心置なく泣かれよと

年増婦《としま》の低い声もする

あゝ　おまへはなにをして来たのだと……
吹き来る風が私に云ふ

凄じき黄昏

捲き起る、風も物憂き頃ながら、
草は靡《(なび)》きぬ、我はみぬ、
遐《(とお)》き昔の隼人《(はやと)》等を。

銀紙《ぎんがみ》色の竹槍の、
汀《(みぎわ)》に沿ひて、つづきけり。
――雑魚《ざこ》の心を侯《(たの)》みつつ。

吹く風誘はず、地の上の
敷きある屍《かばね》――
空、演壇に立ちあがる。

家々は、賢き陪臣《(ばいしん)》、
ニコチンに、汚れたる歯を押匿《(おしかく)》す。

逝く夏の歌

並木の梢が深く息を吸つて、
空は高く高く、それを見てゐた。
日の照る砂地に落ちてゐた硝子《ガラス》を、
歩み来た旅人は周章《あわ》てて見付けた。

山の端は、澄んで澄んで、
金魚や娘の口の中を清くする。
飛んで来るあの飛行機には、
昨日私が昆蟲《こんちゆう》の涙を塗つておいた。

風はリボンを空に送り、
私は嘗《かつ》て陥落した海のことを
その浪のことを語らうと思ふ。

騎兵聯隊《(れんたい)》や上肢の運動や、
下級官吏の赤靴のことや、
山沿ひの道を乗手《のりて》もなく行く
自転車のことを語らうと思ふ。

悲しき朝

河瀬の音が山に来る、
春の光は、石のやうだ。
筧《かけひ》の水は、物語る
白髪の嫗《おうな》にさも肖《(に)》てる。

雲母の口して歌つたよ、
背《うし》ろに倒れ、歌つたよ、
心は涸《(か)》れて皺枯《(しわが)》れて、
巌《いはほ》の上の、綱渡り。

知れざる炎、空にゆき！

響の雨は、濡れ冠る！

…………………………

われかにかくに手を拍く……

夏の日の歌

青い空は動かない、
雲片《ぎれ》一つあるでない。
　夏の真昼の静かには
　タールの光も清くなる。

夏の空には何かがある、
いぢらしく思はせる何かがある、
　焦げて図太い向日葵《ひまはり》が
　田舎の駅には咲いてゐる。

上手に子供を育てゆく、
母親に似て汽車の汽笛は鳴る。
　山の近くを走る時。

山の近くを走りながら、
母親に似て汽車の汽笛は鳴る。
夏の真昼の暑い時。

夕照

丘々は、胸に手を当て
退けり。
落陽は、慈愛の色の
金のいろ。

原に草、
鄙唄《ひなうた》うたひ
山に樹々、
老いてつましき心ばせ。

かゝる折しも我ありぬ
少児に踏まれし
貝の肉。

かゝるをりしも剛直の、
さあれゆかしきあきらめよ
腕拱《(く)》みながら歩み去る。

港市の秋

石崖に、朝陽が射して
秋空は美しいかぎり。
むかふに見える港は、
蝸牛《かたつむり》の角でもあるのか

町では人々煙管《きせる》の掃除。
甍《いらか》は伸びをし
空は割れる。
役人の休み日——どてら姿だ。

『今度生れたら……』
海員が唄ふ。
『ぎーこたん、ばつたりしよ……』

狸婆々がうたふ。
港《みなと》の市《まち》の秋の日は、
大人しい発狂。
私はその日人生に、
椅子を失くした。

ためいき

河上徹太郎に

ためいきは夜の沼にゆき、
瘴気《しようき》の中で瞬きをするであらう。
その瞬きは怨めしさうにながれながら、パチンと音を立てるだらう。
木々が若い学者仲間の、頸すぢのやうであるだらう。

夜が明けたら地平線に、窓が開《あ》くだらう。
荷車を挽いた百姓が、町の方へ行くだらう。
ためいきはなほ深くして、
丘に響きあたる荷車の音のやうであるだらう。

野原に突出た山ノ端の松が、私を看守《みまも》つてゐるだらう。
それはあつさりしてても笑はない、叔父さんのやうであるだらう。
神様が気層の底の、魚《さかな》を捕つてゐるやうだ。

空が曇つたら、蝗螽《いなご》の瞳が、砂土の中に覗くだらう。
遠くに町が、石灰みたいだ。
ピョートル大帝の目玉が、雲の中で光つてゐる。

春の思ひ出

摘み溜めしれんげの華を
　夕餉《ゆうげ》に帰る時刻となれば
立迷ふ春の暮《ぼ》靄《あい》の
　土の上《へ》に叩きつけ

いまひとたびは未練で眺め
　さりげなく手を拍きつつ
路の上《へ》を走りてくれば
　（暮れのこる空よ！）

わが家へと入りてみれば
　なごやかにうちまじりつつ
秋の日の夕陽の丘か炊煙か

われを暈《くる》めかすもののあり
　古き代の富みし館《やかた》の
　　カドリール　ゆらゆるスカーツ
　　カドリール　ゆらゆるスカーツ
何時の日か絶えんとはする　カドリール！

秋の夜空

これはまあ、おにぎはしい、
みんなてんでなことをいふ
それでもつれぬみやびさよ
いづれ揃つて夫人たち。
　下界は秋の夜といふに
上天界のにぎはしさ。

すべすべしてゐる床《ゆか》の上、
金のカンテラ点《(つ)》いてゐる。
小さな頭、長い裳裾《すそ》、
椅子は一つもないのです。
　下界は秋の夜といふに
上天界のあかるさよ。

ほんのりあかるい上天界
遐《とお》き昔の影祭、
しづかなしづかな賑はしさ
上天界の夜《よる》の宴。
　私は下界で見てゐたが、
知らないあひだに退散した。

宿酔

朝、鈍い日が照つてて
　風がある。
千の天使が
　バスケットボールする。

私は目をつむる、
　かなしい酔ひだ。
もう不用になつたストーヴが
　白つぽく銹《さ》びてゐる。

朝、鈍い日が照つてて
　風がある。
千の天使が
　バスケットボールする。

少年時

少年時

黝《あをぐろ》い石に夏の日が照りつけ、
庭の地面が、朱色に睡つてゐた。

地平の果に蒸気が立つて、
世の亡ぶ、兆《きざし》のやうだつた。

麦田には風が低く打ち、
おぼろで、灰色だつた。

翔《（と）》びゆく雲の落とす影のやうに、
田の面《も》を過ぎる、昔の巨人の姿——

夏の日の午《ひる》過ぎ時刻

誰彼の午睡《ひるね》するとき、
私は野原を走つて行つた……
私は希望を唇に嚙みつぶして
私はギロギロする目で諦めてゐた……
噫《ああ》、生きてゐた、私は生きてゐた！

盲目の秋

Ⅰ

風が立ち、浪が騒ぎ、
　無限の前に腕を振る。

その間《かん》、小さな紅《くれなゐ》の花が見えはするが、
　それもやがては潰れてしまふ。

風が立ち、浪が騒ぎ、
　無限のまへに腕を振る。

もう永遠に帰らないことを思つて
　酷薄な嘆息するのも幾たびであらう……

私の青春はもはや堅い血管となり、
　その中を曼珠沙華《ひがんばな》と夕陽とがゆきすぎる。

それはしづかで、きらびやかで、なみなみと湛《たた》え、
　去りゆく女が最後にくれる笑《ゑま》ひのやうに、

厳《おごそ》かで、ゆたかで、それでゐて佗《わび》しく
　異様で、温かで、きらめいて胸に残る……

　　　あゝ、胸に残る……

風が立ち、浪が騒ぎ、
　無限のまへに腕を振る。

　　II

これがどうならうと、あれがどうならうと、
そんなことはどうでもいいのだ。

これがどういふことであらうと、それがどういふことであらうと、
そんなことはなほさらどうだつていいのだ。

人には自恃《じじ》があればよい！
その余はすべてなるまゝだ……

自恃だ、自恃だ、自恃だ、自恃だ、
ただそれだけが人の行ひを罪としない。

平気で、陽気で、藁束のやうにしむみりと、
朝霧を煮釜に塡《つ》めて、跳起きられればよい！

III

私の聖母《サンタ・マリヤ》！
　とにかく私は血を吐いた！……
おまへが情けをうけてくれないので、
　とにかく私はまゐつてしまつた……

それといふのも私が素直でなかつたからでもあるが、
　それといふのも私に意気地がなかつたからでもあるが、
私がおまへを愛することがごく自然だつたので、
　おまへもわたしを愛してゐたのだが……

おゝ！　私の聖母《サンタ・マリヤ》！
　いまさらどうしやうもないことではあるが、
せめてこれだけ知るがいい――

ごく自然に、だが自然に愛せるといふことは、
　そんなにたびたびあることでなく、
そしてこのことを知ることが、さう誰にでも許されてはゐないのだ。

IIII

せめて死の時には、
あの女が私の上に胸を披《ひら》いてくれるでせうか。
　その時は白粧《おしろい》をつけてゐてはいや、
　その時は白粧をつけてゐてはいや。

ただ静かにその胸を披いて、
私の眼に副射してゐて下さい。
　何にも考へてくれてはいや、
　たとへ私のために考へてくれるのでもいや。

ただはららかにはららかに涙を含み、
あたたかく息づいてゐて下さい。
——もしも涙がながれてきたら、

いきなり私の上にうつ俯して、
それで私を殺してしまつてもいい。
すれば私は心地よく、うねうねの暝土《よみぢ》の径を昇りゆく。

わが喫煙

おまへのその、白い二本の脛《あし》が、
　夕暮、港の町の寒い夕暮、
によきによきと、ペエヴの上を歩むのだ。
　店々に灯がついて、灯がついて、
私がそれをみながら歩いてゐると、
　おまへが声をかけるのだ、
どつかにはいつて憩《(やす)》みませうよと。

そこで私は、橋や荷足《にたり》を見残しながら、
　レストオランに這入《(はい)》るのだ——
わんわんいふ喧騒《どよもし》、むつとするスチーム、
　さても此処《(ここ)》は別世界。
そこで私は、時宜にも合はないおまへの陽気な顔を眺め、

かなしく煙草を吹かすのだ、
一服、一服、吹かすのだ……

妹よ

夜、うつくしい魂は涕《(な)》いて、
　——かの女こそ正当《あたりき》なのに——
夜、うつくしい魂は涕いて、
もう死んだつていいよう……といふのであつた。

湿つた野原の黒い土、短い草の上を
　夜風は吹いて、
死んだつていいよう、死んだつていいよう、と、
　うつくしい魂は涕くのであつた。

夜、み空はたかく、吹く風はこまやかに
　——祈るよりほか、わたくしに、すべはなかつた……

寒い夜の自我像

きらびやかでもないけれど
この一本の手綱をはなさず
この陰暗の地域を過ぎる！
その志明らかなれば
冬の夜を我は嘆かず
人々の憔悴《しようそう》のみの愁《かな》しみや
憧れに引廻される女等の鼻唄を
わが瑣細《ささい》なる罰と感じ
そが、わが皮膚を刺すにまかす。
蹌踉《よろ》めくままに静もりを保ち、
聊《いささ》かは儀文めいた心地《いき》をもつて
われはわが怠惰を諫める

寒月の下を往きながら。

陽気で、坦々として、而《しか》も己を売らないことをと、
わが魂の願ふことであつた！

木蔭

神社の鳥居が光をうけて
楡《にれ》の葉が小さく揺すれる
夏の昼の青々した木蔭は
私の後悔を宥《なだ》めてくれる

暗い後悔　いつでも附纏ふ後悔
馬鹿々々しい破笑にみちた私の過去は
やがて涙つぽい晦暝《かいめい》となり
やがて根強い疲労となつた

かくて今では朝から夜まで
忍従することのほかに生活を持たない
怨みもなく喪心したやうに

空を見上げる私の眼《まなこ》――

神社の鳥居が光をうけて
楡の葉が小さく揺すれる
夏の昼の青々した木陰は
私の後悔を宥めてくれる

失せし希望

暗き空へと消え行きぬ
　わが若き日を燃えし希望は。
夏の夜の星の如くは今もなほ
　遐《とお》きみ空に見え隠る、今もなほ。
暗き空へと消えゆきぬ
　わが若き日の夢は希望は。
今はた此処《ここ》に打伏して
　獣の如くは、暗き思ひす。
そが暗き思ひいつの日

晴れんとの知るよしなくて、
溺れたる夜《よる》の海より
　空の月、望むが如し。

その浪はあまりに深く
　その月はあまりに清く、

あはれわが若き日を燃えし希望の
　今ははや暗き空へと消え行きぬ。

夏

血を吐くやうな　倦《もの》うさ、たゆけさ
今日の日も畑に陽は照り、麦に陽は照り
睡るがやうな悲しさに、み空をとほく
血を吐くやうな倦うさ、たゆけさ

空は燃え、畑はつづき
雲浮び、眩《まぶ》しく光り
今日の日も陽は炎《も》ゆる、地は睡る
血を吐くやうなせつなさに。

嵐のやうな心の歴史は
終焉《をは》つてしまつたもののやうに
そこから繰《たぐ》れる一つの緒《いとぐち》もないもののやうに

燃ゆる日の彼方《かなた》に睡る。
私は残る、亡骸《なきがら》として――
血を吐くやうなせつなさかなしさ。

心象

I

松の木に風が吹き、
踏む砂利の音は寂しかつた。
暖い風が私の額を洗ひ
思ひははるかに、なつかしかつた。

腰をおろすと、
浪の音がひときは聞えた。
星はなく
空は暗い綿だつた。

とほりかかつた小舟の中で
船頭がその女房に向つて何かを云つた。

——その言葉は、聞きとれなかつた。

浪の音がひとときはきこえた。

II

亡びたる過去のすべてに
涙湧く。
城の塀乾きたり
風の吹く

草靡《なび》く
丘を越え、野を渉《わた》り
憩ひなき
白き天使のみえ来ずや

あはれわれ死なんと欲す、
あはれわれ生きむと欲す
あはれわれ、亡びたる過去のすべてに

涙湧く。
み空の方より、
風の吹く

みちこ

みちこ

そなたの胸は海のやう
おほらかにこそうちあぐる。
はるかなる空、あをき浪、
涼しかぜさへ吹きそひて
松の梢をわたりつつ
磯白々とつづきけり。

またなが目にはかの空の
いやはてまでもうつしゐて
竝《なら》びくるなみ、渚《なぎさ》なみ、
いとすみやかにうつろひぬ。
みるとしもなく、ま帆片帆
沖ゆく舟にみとれたる。

またその顙《ぬか》のうつくしさ
ふと物音におどろきて
午睡の夢をさまされし
牡牛のごとも、あどけなく
かろやかにまたしとやかに
もたげられ、さてうち俯しぬ。

しどけなき、なれが頸《うなじ》は虹にして
ちからなき、嬰児《みどりご》ごとき腕《かひな》して
絃《いと》うたあはせはやきふし、なれの踊れば、
海原はなみだぐましき金《きん》にして夕陽をたたへ
沖つ瀬は、いよとほく、かしこしづかにうるほへる
空になん、汝《な》の息絶ゆるとわれはながめぬ。

汚れつちまつた悲しみに……

汚れつちまつた悲しみに
今日も小雪の降りかかる
汚れつちまつた悲しみに
今日も風さへ吹きすぎる

汚れつちまつた悲しみは
たとへば狐の革裘《かはごろも》
汚れつちまつた悲しみは
小雪のかかつてちぢこまる

汚れつちまつた悲しみは
なにのぞむなくねがふなく
汚れつちまつた悲しみは

―倦怠《けだい》のうちに死を夢む

汚れつちまつた悲しみに
いたいたしくも怖気《おじけ》づき
汚れつちまつた悲しみに
なすところもなく日は暮れる……

無題

I

こひ人よ、おまへがやさしくしてくれるのに、
私は強情だ。ゆふべもおまへと別れてのち、
酒をのみ、弱い人に毒づいた。今朝
目が覚めて、おまへのやさしさを思ひ出しながら
私は私のけがらはしさを歎いてゐる、そして
正体もなく、今茲《ここ》に告白をする、恥もなく、
品位もなく、かといつて正直さもなく
私は私の幻想に駆られて、狂ひ廻る。
人の気持をみようとするやうなことはつひになく、
こひ人よ、おまへがやさしくしてくれるのに
私は頑《かたく》なで、子供のやうに我儘《わがまま》だつた！
目が覚めて、宿酔《ふつかよい》の厭《いと》ふべき頭の中で、

今朝はもはや私がくだらない奴だと、自《み》ら信ずる！
そしてもう、私はなんのことだか分らなく悲しく、
私はおまへのやさしさを思ひ、また毒づいた人を思ひ出す。
戸の外の、寒い朝らしい気配を感じながら

II

彼女の心は真っ直《すぐ》い！
彼女は荒々しく育ち、
たよりもなく、心を汲んでも
もらへない、乱雑な中に
生きてきたが、彼女の心は
私のより真っ直いそしてぐらつかない。

彼女は美しい。わいだめもない世の渦の中に
彼女は賢くつつましく生きてゐる。
あまりにわいだめもない世の渦のために、
折に心が弱り、弱々しく躁《さわ》ぎはするが、
而《しか》もなほ、最後の品位をなくしはしない

彼女は美しい、そして賢い！
嘗《かつ》て彼女の魂が、どんなにやさしい心をもとめてゐたかは！
しかしいまではもう諦めてしまつてさへゐる。
我利々々で、幼稚な、獣《けもの》や子供にしか、
彼女は出遇《であ》はなかつた。おまけに彼女はそれと識《し》らずに、
唯、人といふ人が、みんなやくざなんだと思つてゐる。
そして少しはいぢけてゐる。彼女は可哀想だ！

III

かくは悲しく生きん世に、なが心
かたくなにしてあらしめな。
われはわが、したしさにはあらんとねがへば
なが心、かたくなにしてあらしめな。

かたくなにしてあるときは、心に眼《まなこ》
魂に、言葉のはたらきあとを絶つ
なごやかにしてあらんとき、人みなは生《あ》れしながらの

うまし夢、またそがことはり分ち得ん。

おのが心も魂も、忘れはて棄て去りて
悪酔の、狂ひ心地に美を索《もと》む
わが世のさまのかなしさや、

おのが心におのがじし湧きくるおもひもたずして、
人に勝《まさ》らん心のみいそがはしき
熱を病む風景ばかりかなしきはなし。

IIII

私はおまへのことを思つてゐるよ。
いとほしい、なごやかに澄んだ気持の中に、
昼も夜も浸つてゐるよ、
まるで自分を罪人ででもあるやうに感じて。

私はおまへを愛してゐるよ、精一杯だよ。
いろんなことが考へられもするが、考へられても

それはどうにもならないことだしするから、
私は身を棄てておまへに尽さうと思ふよ。

またさうすることのほかには、私にはもはや
希望も目的も見出せないのだから
さうすることは、私に幸福なんだ。

幸福なんだ、世の煩《わずら》ひのすべてを忘れて、
いかなることとも知らないで、私は
おまへに尽せるんだから幸福だ！

V　幸　福

幸福は厩《うまや》の中にゐる
藁の上に。
幸福は
和める心には一挙にして分る。

頑《かたく》なの心は、不幸でいらいらして、

せめてめまぐるしいものや
数々のものに心を紛らす。
そして益々不幸だ。

幸福は、休んでゐる
そして明らかになすべきことを
少しづつ持ち、
幸福は、理解に富んでゐる。

頑なの心は、理解に欠けて、
なすべきをしらず、ただ利に走り、
意気消沈して、怒りやすく、
人に嫌はれて、自らも悲しい。

されば人よ、つねにまづ従はんとせよ。
従ひて、迎へられんとには非ず、
従ふことのみ学びとなるべく、学びて
汝が品格を高め、そが働きの裕《ゆた》かとならんため！

更くる夜

内海誓一郎に

毎晩々々、夜が更けると、近所の湯屋の
　水汲む音がきこえます。
流された残り湯が湯気となつて立ち、
　昔ながらの真つ黒い武蔵野の夜です。
おつとり霧も立罩《こ》めて
　その上に月が明るみます、
と、犬の遠吠がします。

その頃です、僕が囲炉裏《いろり》の前で、
　あえかな夢をみますのは。
随分……今では損はれてはゐるものの
　今でもやさしい心《しづ》があつて、
こんな晩ではそれが徐かに呟《つぶや》きだすのを、

感謝にみちて聴きいるのです、
感謝にみちて聴きいるのです。

つみびとの歌

阿部六郎に

わが生は、下手な植木師らに
あまりに夙《はや》く、手を入れられた悲しさよ!
由来わが血の大方は
頭にのぼり、煮え返り、滾《たぎ》り泡だつ。

おちつきがなく、あせり心地に、
つねに外界に索《もと》めんとする。
その行ひは愚かで、
その考へは分ち難い。

かくてこのあはれなる木は、
粗硬な樹皮を、空と風とに、
心はたえず、追惜のおもひに沈み、

懶惰《らんだ》にして、とぎれとぎれの仕草をもち、
人にむかつては心弱く、諂《へつら》ひがちに、かくて
われにもない、愚事のかぎりを仕出来《しでか》してしまふ。

秋

秋

1

昨日まで燃えてゐた野が
今日茫然として、曇つた空の下につづく。
一雨毎に秋になるのだ、と人は云ふ
秋蟬は、もはやかしこに鳴いてゐる、
草の中の、ひともとの木の中に。

僕は煙草を喫ふ。その煙が
澱《よど》んだ空気の中をくねりながら昇る。
地平線はみつめようにもみつめられない
陽炎《かげろう》の亡霊達が起《た》つたり坐つたりしてゐるので、
——僕は蹲《しゃが》んでしまふ。

鈍い金色を滞《お》びて、空は曇つてゐる、――相変らずだ、――
とても高いので、僕は俯《うつむ》いてしまふ。
僕は倦怠を観念して生きてゐるのだよ、
煙草の味が三通りくらゐにする。
死ももう、とほくはないのかもしれない……

2

『それではさよならといつて、
みように真鍮《しんちゆう》の光沢かなんぞのやうな笑《ゑみ》を湛《たた》えて彼奴《あいつ》は、
あのドアの所を立去つたのだつたあね。
あの笑ひがどうも、生きてる者ののやうぢやあなかつたあね。

彼奴の目は、沼の水が澄んだ時かなんかのやうな色をしてたあね。
話してる時、ほかのことを考へてゐるやうだつたあね。
短く切つて、物を云ふくせがあつたあね。
つまらない事を、細かく覚えてゐたりしたあね。』

『ええさうよ。――死ぬつてことが分つてゐたのだわ？

星をみてると、星が僕になるんだなんて笑つてたわよ、たつた先達《せんだつて》よ。

…………………………………………………………

たつた先達よ、自分の下駄を、これあどうしても僕のぢやないつていふのよ。』

3

草がちつともゆれなかつたのよ、
その上を蝶々がとんでゐたのよ。
浴衣《ゆかた》を着て、あの人縁側に立つてそれを見てるのよ。
あたしこつちからあの人の様子　見てたわよ。
あの人ジッと見てるのよ、黄色い蝶々を。
お豆腐屋の笛が方々で聞えてゐたわ、
あの電信柱が、夕空にクッキリしてて、
――僕、つてあの人あたしの方を振向くのよ、
昨日三十貫くらゐある石をコヂ起しちやつた、つてのよ。
――まあどうして、どこで?つてあたし訊《き》いたのよ。
するとね、あの人あたしの目をジッとみるのよ、

怒つてるやうなのよ、まあ……あたし怖かつたわ。
死ぬまへつてへんなものねえ……

修羅街輓歌

関口隆克に

序　歌

忌はしい憶ひ出よ、
去れ！　そしてむかしの
憐みの感情と
ゆたかな心よ、
返つて来い！

今日は日曜日
椽側《えんがわ》には陽が当る。
――もういつぺん母親に連れられて
祭の日には風船玉が買つてもらひたい、
空は青く、すべてのものはまぶしくかゞやかしかつた……

忌はしい憶ひ出よ、
去れ！　去れ去れ！

II　酔　生

私の青春も過ぎた、
——この寒い明け方の鶏鳴よ！
私の青春も過ぎた。

ほんに前後もみないで生きて来た……
私はあむまり陽気にすぎた？
——無邪気な戦士、私の心よ！

それにしても私は憎む、
対外意識にだけ生きる人々を。
——パラドクサルな人生よ。

いま茲《ここ》に傷つきはてて、

——この寒い明け方の鶏鳴よ！
おゝ、霜にしみらの鶏鳴よ……

III　独　語

器の中の水が揺れないやうに、
器を持ち運ぶことは大切なのだ。
さうでさへあるならば
モーションは大きい程いい。

しかしさうするために、
もはや工夫《くふう》を凝らす余地もないなら……
心よ、
謙抑にして神恵を待てよ。

IIII

いといと淡き今日の日は
雨　蕭々《しようしよう》と降り洒《そそ》ぎ、
水より淡《あは》き空気にて

林の香りすなりけり。

げに秋深き今日の日は
石の響きの如くなり。
思ひ出だにもあらぬがに
まして夢などあるべきか。

まことや我は石のごと
影の如くは生きてきぬ……
呼ばんとするに言葉なく
空の如くははてもなし。

それよかなしきわが心
いはれもなくて拳《こぶし》する
誰をか責むることかある？
せつなきことのかぎりなり。

雪の宵

青いソフトに降る雪は
過ぎしその手か囁きか　白秋

ホテルの屋根に降る雪は
過ぎしその手か、囁《(ささや)》きか
　ふかふか煙突煙《けむ》吐《(は)》いて、
　赤い火の粉も刎ね上る。

今夜み空はまつ暗で、
暗い空から降る雪は……
　ほんに別れたあのをんな、
　いまごろどうしてゐるのやら。

ほんにわかれたあのをんな、
いまに帰つてくるのやら
　徐《しづ》かに私は酒のんで
　悔と悔とに身もそぞろ。

しづかにしづかに酒のんで
いとしおもひにそそらるる……
　ホテルの屋根に降る雪は
　過ぎしその手か、囁きか

ふかふか煙突煙《けむ》吐いて
赤い火の粉も刎ね上る。

生ひ立ちの歌

I

幼年時

私の上に降る雪は
真綿のやうでありました

少年時

私の上に降る雪は
霙《みぞれ》のやうでありました

十七―十九

私の上に降る雪は
霰《あられ》のやうに散りました

二十一――二十二

私の上に降る雪は
雹《ひよう》であるかと思はれた

二十三

私の上に降る雪は
ひどい吹雪とみえました

二十四

私の上に降る雪は
いとしめやかになりました……

II

私の上に降る雪は
花びらのやうに降つてきます
薪の燃える音もして
凍るみ空の黝《くろ》む頃

私の上に降る雪は
いとなよびかになつかしく
手を差伸べて降りました

私の上に降る雪は
熱い額に落ちもくる
涙のやうでありました

私の上に降る雪に
いとねんごろに感謝して、神様に
長生したいと祈りました

私の上に降る雪は
いと貞潔でありました

時こそ今は……

時こそ今は花は香炉に打薫じ
ボードレール

時こそ今は花は香炉に打薫じ、
そこはかとないけはひです。
しほだる花や水の音や、
家路をいそぐ人々や。

いかに泰子、いまこそは
しづかに一緒に、をりませう。
遠くの空を、飛ぶ鳥も
いたいけな情け、みちてます。

いかに泰子、いまこそは
暮るる籬《まがき》や群青《ぐんじやう》の

空もしづかに流るころ。
いかに泰子、いまこそは
おまへの髪毛《かみげ》なよぶころ
花は香炉に打薫じ、

羊の歌

羊の歌

安原喜弘に

I 祈り

死の時には私が仰向かんことを！
この小さな顎《あご》が、小さい上にも小さくならんことを！
それよ、私は私が感じ得なかつたことのために、
罰されて、死は来たるものと思ふゆゑ。

あゝ、その時私の仰向かんことを！
せめてその時、私も、すべてを感ずる者であらんことを！

II

思惑よ、汝　古く暗き気体よ、
わが裡《うち》より去れよかし！
われはや単純と静けき呟《つぶや》きと、

とまれ、清楚のほかを希《ねが》はず。

交際よ、汝陰鬱なる汚濁《おじよく》の許容よ、
更《あらた》めてわれを目覚ますことなかれ！
われはや孤寂に耐えんとす、
わが腕は既に無用の有《もの》に似たり。

汝、疑ひとともに見開く眼《まなこ》よ
見開きたるまゝに暫《しば》しは動かぬ眼よ、
あゝ、己の外をあまりに信ずる心よ、

それよ思惑、汝　古く暗き空気よ、
わが裡より去れよかし去れよかし！
われはや、貧しきわが夢のほかに興ぜず

III

我が生は恐ろしい嵐のやうであつた、
其処此処《そこここ》に時々陽の光も落ちたとはいへ。
ボードレール

九才の子供がありました
女の子供でありました
世界の空気が、彼女の有《いう》であるやうに
またそれは、凭《よ》つかかられるもののやうに
彼女は頸をかしげるのでした
私と話してゐる時に。

私は炬燵《こたつ》にあたつてゐました
彼女は畳に坐つてゐました

冬の日の、珍しくよい天気の午前
私の室《へや》には、陽がいつぱいでした
彼女が頸かしげると
彼女の耳朶《みみのは》陽に透きました。

私を信頼しきつて、安心しきつて
かの女の心は密柑《みかん》の色に
そのやさしさは氾濫するなく、かといつて
鹿のやうに縮かむこともありませんでした
私はすべての用件を忘れ
この時ばかりはゆるやかに時間を熟読翫味《がんみ》しました。

IIII

さるにても、もろに佗《わび》しいわが心
夜な夜なは、下宿の室《へや》に独りゐて
思ひなき、思ひを思ふ　単調の
つまし心の連弾よ……

汽車の笛聞こえもくれば
旅おもひ、幼き日をばおもふなり
いなよいなよ、幼き日をも旅をも思はず
旅とみえ、幼き日とみゆものをのみ……

思ひなき、おもひを思ふわが胸は
閉ざされて、醺生《かびは》ゆる手匣《（てばこ）》にこそはさも似たれ
しらけたる脣《くち》、乾きし頬
酷薄の、これな寂莫《しじま》にほとぶなり……

これやこの、慣れしばかりに耐えもする
さびしさこそはせつなけれ、みづからは
それともしらず、ことやうに、たまさかに
ながる涙は、人恋ふる涙のそれにもはやあらず……

憔悴

Pour tout homme, il vient une époque où l'homme languit.　——Proverbe.
Il faut d'abord avoir soif...　——Catherine de Médicis.

私はも早、善い意志をもつては目覚めなかつた
起きれば愁《うれ》はしい　平常《いつも》のおもひ
私は、悪い意志をもつてゆめみた……
（私は其処に安住したのでもないが、
其処を抜け出すことも叶《(かな)》はなかつた）
そして、夜が来ると私は思ふのだつた、
此の世は、海のやうなものであると。

私はすこししけてゐる宵の海をおもつた
其処を、やつれた顔の船頭は
おぼつかない手で漕ぎながら
獲物があるかあるまいことか

水の面《おもて》を、にらめながらに過ぎてゆく

II

昔 私は思つてゐたものだつた
恋愛詩なぞ愚劣なものだと

今私は恋愛詩を詠み
甲斐あることに思ふのだ

だがまだ今でもともすると
恋愛詩よりもましな詩境にはいりたい

その心が間違つてゐるかゐないか知らないが
とにかくさういふ心が残つてをり

それは時々私をいらだて
とんだ希望を起させる

昔私は思つてゐたものだつた
恋愛詩なぞ愚劣なものだと

けれどもいまでは恋愛を
ゆめみるほかに能がない

III

それが私の堕落かどうか
どうして私に知れようものか

腕にたるむだ私の怠惰
今日も日が照る　空は青いよ

ひよつとしたなら昔から
おれの手に負へたのはこの怠惰だけだつたかもしれぬ

真面目な希望も　その怠惰の中から
憧憬したのにすぎなかつたかもしれぬ

あゝそれにしてもそれにしても
ゆめみるだけの　男にならうとはおもはなかつた！

IIII

しかし此の世の善だの悪だの
容易に人間に分りはせぬ
人間に分らない無数の理由が
あれをもこれをも支配してゐるのだ
山蔭の清水《しみづ》のやうに忍耐ぶかく
つぐむでゐれば愉《たの》しいだけだ
汽車からみえる　山も　草も
空も　川も　みんなみんな
やがては全体の調和に溶けて

空に昇つて　虹となるのだらうとおもふ……

V

さてどうすれば利するだらうか、とか
どうすれば哂《わら》はれないですむだらうか、とかと

要するに人を相手の思惑に
明けくれすぐす、世の人々よ、

僕はあなたがたの心も尤《もつと》もと感じ
一生懸命郷《がう》に従つてもみたのだが

今日また自分に帰るのだ
ひつぱつたゴムを手離したやうに

さうしてこの怠惰の窗《まど》の中から
扇のかたちに食指をひろげ

青空を喫ふ　閑《ひま》を嚥《（の）》む
蛙さながら水に泛《（うか）》んで
夜《よる》は夜《よる》とて星をみる
あゝ　空の奥、空の奥。

VI

しかしまたかうした僕の状態がつづき、
僕とても何か人のするやうなことをしなければならないと思ひ、
自分の生存をしんきくさく感じ、
ともすると百貨店のお買上品届け人にさへ驚嘆する。
そして理屈はいつでもはつきりしてゐるのに
気持の底ではゴミゴミゴミゴミ懐疑の小屑《をくづ》が一杯です。
それがばかげてゐるにしても、その二つが
僕の中にあり、僕から抜けぬことはたしかなのです。
と、聞えてくる音楽には心惹かれ、

ちよつとは生き生きしもするのですが、
その時その二つつは僕の中に死んで、

あゝ　空の歌、海の歌、
僕は美の、核心を知つてゐるとおもふのですが
それにしても辛いことです、怠惰を逭《のが》れるすべがない！

いのちの声

もろもろの業《わざ》、太陽のもとにては蒼ざめたるかな。
——ソロモン

僕はもうバッハにもモツアルトにも倦果てた。
あの幸福な、お調子者のヂャズにもすつかり倦果てた。
僕は雨上りの曇つた空の下の鉄橋のやうに生きてゐる。
僕に押寄せてゐるものは、何時でもそれは寂漠だ。

僕はその寂漠の中にすつかり沈静してゐるわけでもない。
僕は何かを求めてゐる、絶えず何かを求めてゐる。
恐ろしく不動の形の中にだが、また恐ろしく憔《じ》れてゐる。
そのためにははや、食慾も性慾もあつてなきが如くでさへある。

しかし、それが何かは分らない、つひぞ分つたためしはない。
それが二つあるとは思へない、ただ一つであるとは思ふ。

しかしそれが何かは分らない、つひぞ分つたためしはない。
それに行き著《つ》く一か八かの方途さへ、悉皆《すつかり》分つたためしはない。

時に自分を揶揄《からか》ふやうに、僕は自分に訊《き》いてみるのだ、
それは女か？　甘《うま》いものか？　それは栄誉か？
すると心は叫ぶのだ、あれでもない、これでもない、あれでもないこれでもない！
それでは空の歌、朝、高空に、鳴響く空の歌とでもいふのであらうか？

II

否何《いず》れとさへそれはいふことの出来ぬもの！
手短かに、時に説明したくなるとはいふものの、
説明なぞ出来ぬものでこそあれ、我が生は生くるに値ひするものと信ずる
それよ現実！　汚れなき幸福！　あらはるものはあらはるまゝによいといふこと！

人は皆、知ると知らぬに拘《かかわ》らず、そのことを希望してをり、
勝敗に心覚《さと》き程は知るによしないものであれ、
それは誰も知る、放心の快感に似て、誰もが望み
誰もがこの世にある限り、完全には望み得ないもの！

併《しか》し幸福といふものが、このやうに無私の境《さかひ》のものであり、
かの慧敏《けいびん》なる商人の、称して阿呆《あほう》といふでもあらう底のものとすれば、
めしをくはねば生きてゆかれぬ現身《うつしみ》の世は、
不公平なものであるよといはねばならぬ。

だが、それが此の世といふものなんで、
其処《そこ》に我等は生きてをり、それは任意の不公平ではなく、
それに因《よっ》て我等自身も構成されたる原理であれば、
然《しか》らば、この世に極端はないとて、一先づ休心するもよからう。

III

されば要は、熱情の問題である。
汝、心の底より立腹せば
怒れよ!

さあれ、怒ることこそ
汝《な》が最後なる目標の前にであれ、

この言《こと》ゆめゆめおろそかにする勿《なか》れ。

それは、熱情はひととき持続し、やがて熄《や》むなるに、
その社会的効果は存続し、
汝《な》が次なる行為への転調の障《さまた》げとなるなれば。

IIII

ゆふがた、空の下で、身一点に感じられれば、万事に於て文句はないのだ。

在りし日の歌

亡き児文也の霊に捧ぐ

在りし日の歌

含羞《はぢらひ》

——在りし日の歌——

なにゆゑに　こゝろかくは羞《(は)》ぢらふ
秋　風白き日の山かげなりき
椎の枯葉の落窪に
幹々は　いやにおとなび彳《(た)》ちゐたり

枝々の　拱《く》みあはすあたりかなしげの
空は死児等の亡霊にみち　まばたきぬ
をりしもかなた野のうへは
あすとらかんのあはひ縫ふ　古代の象の夢なりき

椎の枯葉の落窪に
幹々は　いやにおとなび彳ちゐたり
その日　その幹の隙《ひま》　睦みし瞳

姉らしき色　きみはありにし
その日　その幹の隙《ひま》　睦みし瞳
姉らしき色　きみはありにし
あゝ！　過ぎし日の　仄《(ほの)》燃えあざやぐをりをりは
わが心　なにゆゑに　なにゆゑにかくは羞ぢらふ……

むなしさ

臘祭《ろうさい》の夜の　巷《ちまた》に堕《お》ちて
　心臓はも　条網に絡み
脂《あぶら》ぎる　胸乳《むなぢ》も露《あら》は
　よすがなき　われは戯女《たはれめ》

せつなきに　泣きも得せずて
　この日頃　闇を孕《はら》めり
遐《とお》き空　線条に鳴る
　海峡岸　冬の暁風
白薔薇《しろばら》の　造花の花弁
　凍《い》てつきて　心もあらず

明けき日の　乙女の集《つど》ひ
それらみな　ふるのわが友
偏菱形《へんりようけい》＝聚接面《しゆうせつめん》そも
胡弓《こきゆう》の音　つづきてきこゆ

夜更の雨

――ヱルレーヌの面影――

雨は　今宵も　昔　ながらに、
昔　ながらの　唄を　うたつてる。
だらだら　だらだら　しつこい　程だ。
と、見る　ヱル氏の　あの図体《づうたい》が、
倉庫の　間の　路次を　ゆくのだ。

倉庫の　間にや　護謨合羽《かっぱ》の　反射《ひかり》だ。
それから　泥炭の　しみたれた　巫戯《ふざ》けだ。
さてこの　路次を　抜けさへ　したらば、
抜けさへ　したらと　ほのかな　のぞみだ……
いやはや　のぞみにや　相違も　あるまい？

自動車　なんぞに　用事は　ないぞ、

あかるい　外燈《ひ》なぞは　なほの　ことだ。
酒場の　軒燈《あかり》の　腐つた　眼玉よ、
遐《とお》くの　方では　舎密《せいみ》も　鳴つてる。

早春の風

けふ一日《ひとひ》また金の風
大きい風には銀の鈴
けふ一日《ひとひ》また金の風

女王の冠さながらに
卓《たく》の前には腰を掛け
かびろき窓にむかひます

外《そと》吹く風は金の風
大きい風には銀の鈴
けふ一日《ひとひ》また金の風

枯草の音のかなしくて

煙は空に身をすさび
日影たのしく身を嫋《なよ》ぶ
鳶色《とびいろ》の土かほるれば
物干竿は空に往き
登る坂道なごめども
青き女《をみな》の顎《あぎと》かと
岡に梢のとげとげし
今日一日《ひとひ》また金の風……

月

今宵月は蘘荷《めうが》を食ひ過ぎてゐる
済製場《さいせいば》の屋根にブラ下つた琵琶《びわ》は鳴るとしも想へぬ
石灰の匂ひがしたつて怖《おぢ》けるには及ばぬ
灌木がその個性を砥《と》いでゐる
姉妹は眠つた、母親は紅殻《べんがら》色の格子を締めた！

さてベランダの上にだが
見れば銅貨が落ちてゐる、いやメダルなのかァ
これは今日昼落とした文子さんのだ
明日はこれを届けてやらう
ポケットに入れたが気にかゝる、月は蘘荷を食ひ過ぎてゐる
灌木がその個性を砥いでゐる
姉妹は眠つた、母親は紅殻色の格子を締めた！

青い瞳

1　夏の朝

かなしい心に夜が明けた、
　うれしい心に夜が明けた、
いいや、これはどうしたといふのだ？
　さてもかなしい夜の明けだ！

青い瞳は動かなかつた、
　世界はまだみな眠つてゐた、
さうして『その時』は過ぎつつあつた、
　あゝ、遐《とお》い遐いい話。

青い瞳は動かなかつた、
　――いまは動いてゐるかもしれない……

青い瞳は動かなかつた、
　いたいたしくて美しかつた！

私はいまは此処《ここ》にゐる、黄色い灯影に。
　あれからどうなつたのかしらない……
あゝ、『あの時』はあゝして過ぎつゝあつた！
　碧《あお》い、噴き出す蒸気のやうに。

2　冬の朝

それからそれがどうなつたのか……
それは僕には分らなかつた
とにかく朝霧罩《こ》めた飛行場から
機影はもう永遠に消え去つてゐた。
あとには残酷な砂礫だの、雑草だの
頰を裂《き》るやうな寒さが残つた。
——こんな残酷な空寞《くうばく》たる朝にも猶
人は人に笑顔を以て対さねばならないとは
なんとも情ないことに思はれるのだつたが

それなのに其処《そこ》でもまた
笑ひを沢山湛《たた》えた者ほど
優越を感じてゐるのであつた。
陽は霧に光り、草葉の霜は解け、
遠くの民家に鶏《とり》は鳴いたが、
霧も光も霜も鶏《とり》も
みんな人々の心には沁《し》まず、
人々は家に帰つて食卓についた。
（飛行場に残つたのは僕、
　バットの空箱《から》を蹴つてみる）

三歳の記憶

椽側《えんがわ》に陽があたつてて、
樹脂《きやに》が五彩に眠る時、
柿の木いつぽんある中庭《には》は、
土は枇杷《びわ》いろ　蠅が唸《な》く。

稚厠《おかは》の上に　抱えられてた、
すると尻から　蛔虫《むし》が下がつた。
その蛔虫《むし》が、稚厠の浅瀬で動くので
動くので、私は吃驚《びつくり》しちまつた。

あゝあ、ほんとに怖かつた
なんだか不思議に怖かつた、
それでわたしはひとしきり

ひと泣き泣いて　やつたんだ。

あゝ、怖かつた怖かつた
——部屋の中は　ひつそりしてゐて、
隣家《となり》は空に　舞ひ去つてゐた！
隣家《となり》は空に　舞ひ去つてゐた！

六月の雨

またひとしきり　午前の雨が
菖蒲（しょうぶ）のいろの　みどりいろ
眼《まなこ》うるめる　面長き女《ひと》
たちあらはれて　消えてゆく

たちあらはれて　消えゆけば
うれひに沈み　しとしとと
畠《はたけ》の上に　落ちてゐる
はてしもしれず　落ちてゐる

お太鼓叩いて　笛吹いて
あどけない子が　日曜日
畳の上で　遊びます

お太鼓叩いて　笛吹いて
遊んでゐれば　雨が降る
櫺子《れんじ》の外に　雨が降る

雨の日

通りに雨は降りしきり、
家々の腰板古い。
もろもろの愚弄の眼《まなこ》は淑《しと》やかとなり、
わたくしは、花弁の夢をみながら目を覚ます。

*

鳶色《とびいろ》の古刀の鞘《さや》よ、
舌あまりの幼な友達、
おまへの額は四角張つてた。
わたしはおまへを思ひ出す。

*

鑢《やすり》の音よ、だみ声よ、

老い疲れたる胃袋よ、
雨の中にはとほく聞け、
やさしいやさしい唇を。

*

煉瓦の色の憔心《しようしん》の
見え匿《かく》れする雨の空。
賢《さかし》い少女《をとめ》の黒髪と、
慈父の首《かうべ》と懐かしい……

春

春は土と草とに新しい汗をかゝせる。
その汗を乾かさうと、雲雀《(ひばり)》は空に隲《(あが)》る。
瓦屋根今朝不平がない、
長い校舎から合唱は空にあがる。

あゝ、しづかだしづかだ。
めぐり来た、これが今年の私の春だ。
むかし私の胸摶《(う)》つた希望は今日を、
厳《(いか)》めしい紺《こ》青《あを》となつて空から私に降りかゝる。

そして私は呆気《(ほうけ)》てしまふ、バカになつてしまふ
——藪かげの、小川か銀か小波《さざなみ》か？
藪かげの小川か銀か小波か？

大きい猫が頸ふりむけてぶきつちよに
一つの鈴をころばしてゐる、
一つの鈴を、ころばして見てゐる。

春の日の歌

流《ながれ》よ、淡《あは》き　嬌羞《きようしゆう》よ、
ながれて　ゆくか　空の国？
心も　とほく　散らかりて、
ヱヂプト煙草　たちまよふ。

流《ながれ》よ、冷たき　憂ひ秘め、
ながれて　ゆくか　麓までも？
まだみぬ　顔の　不可思議の
咽喉《のんど》の　みえる　あたりまで……

午睡の　夢の　ふくよかに、
野原の　空の　空のうへ？
うわあ　うわあと　涕《な》くなるか

黄色い　納屋や、白の倉、
水車の　みえる　彼方《かなた》まで、
ながれ　ながれて　ゆくなるか？

夏の夜

あゝ 疲れた胸の裡《うち》を
桜色の 女が通る
女が通る。

夏の夜の水田《すゐでん》の滓《おり》、
怨恨は気が遐《とお》くなる
——盆地を繞《めぐ》る山は巡るか?

裸足《らそく》はやさしく 砂は底だ、
開いた瞳は おいてきぼりだ、
霧の夜空は 高くて黒い。
霧の夜空は高くて黒い、

親の慈愛はどうしやうもない、
——疲れた胸の裡《うち》を　花弁が通る。

疲れた胸の裡を　花弁が通る
ときどき銅鑼《ごんぐ》が著物《(きもの)》に触れて。
靄《(もや)》はきれいだけれども、暑い！

幼獣の歌

黒い夜草深い野にあつて、
一匹の獣《けもの》が火消壺の中で
燧石《(ひうちいし)》を打つて、星を作つた。
冬を混ぜる　風が鳴つて。

獣はもはや、なんにも見なかつた。
カスタニェットと月光のほか
目覚ますことなき星を抱いて、
壺の中には冒瀆《(ぼうとく)》を迎へて。

雨後らしく思ひ出は一塊《いつくわい》となつて
風と肩を組み、波を打つた。
あゝ　なまめかしい物語――

奴隷も王女と美しかれよ。

　卵殻もどきの貴公子の微笑と
　遅鈍な子供の白血球とは、
　それな獣を怖がらす。

黒い夜草深い野の中で、
一匹の獣の心は燻《くすぶ》る。
黒い夜草深い野の中で——
太古《むかし》は、独語も美しかつた！……

この小児

コボルト空に往交《ゆきか》へば、
野に
蒼白の
この小児。

黒雲空にすぢ引けば、
この小児
搾《しぼ》る涙は
銀の液……

　地球が二つに割れゝばいい、
　そして片方は洋行すればいい、
　すれば私はもう片方に腰掛けて

青空をばかり――

花崗の巌《いはほ》や
浜の空
み寺の屋根や
海の果て……

冬の日の記憶

昼、寒い風の中で雀を手にとつて愛してゐた子供が、
夜になつて、急に死んだ。

次の朝は霜が降つた。
その子の兄が電報打ちに行つた。

夜になつても、母親は泣いた。
父親は、遠洋航海してゐた。

雀はどうなつたか、誰も知らなかつた。
北風は往還を白くしてゐた。

つるべの音が偶々《たまたま》した時、

父親からの、返電が来た。

毎日々々霜が降つた。
遠洋航海からはまだ帰れまい。

その後母親がどうしてゐるか……
電報打つた兄は、今日学校で叱られた。

秋の日

磧《(かわら)》づたひの　竝樹《(なみき)》の　蔭に
秋は　美し　女の　瞼《まぶた》
泣きも　いでなん　空の　潤《うる》み
昔の　馬の　蹄《ひづめ》の　音よ

長の　年月　疲れの　ために
国道　いゆけば　秋は　身に沁《(し)》む
なんでも　ないてば　なんでも　ないに
木履の　音さへ　身に　沁みる

陽は今　磧の　半分に　射し
流れを　無形《むぎやう》の　筏《(いかだ)》は　とほる
野原は　向ふで　伏せつて　ゐるが

連れだつ　友の　お道化《どけ》た　調子も
不思議に　空気に　溶け　込んで
秋は　案じる　くちびる　結んで

冷たい夜

冬の夜に
私の心が悲しんでゐる
悲しんでゐる、わけもなく……
心は錆《さ》びて、紫色をしてゐる。

丈夫な扉の向ふに、
古い日は放心してゐる。
丘の上では
棉《わた》の実が罅裂《はじ》ける。

此処《ここ》では薪が燻《くすぶ》つてゐる、
その煙は、自分自らを
知つてでもゐるやうにのぼる。

誘はれるでもなく
覓《もと》めるでもなく、
私の心が燻る……

冬の明け方

残《のこ》んの雪が瓦に少なく固く
枯木の小枝が鹿のやうに睡い、
冬の朝の六時
私の頭も睡い。

烏が啼いて通る——
庭の地面も鹿のやうに睡い。
——林が逃げた農家が逃げた、
空は悲しい衰弱。
　　　私の心は悲しい……

やがて薄日が射し
青空が開《あ》く。

上の上の空でジュピター神の砲《ひづつ》が鳴る。
——四方《よも》の山が沈み、

農家の庭が欠伸《あくび》をし、
道は空へと挨拶する。
　私の心は悲しい……

老いたる者をして

――「空しき秋」第十二

老いたる者をして静謐《せいひつ》の裡《うち》にあらしめよ
そは彼等こころゆくまで悔いんためなり

吾は悔いんことを欲す
こころゆくまで悔ゆるは洵《まこと》に魂《たま》を休むればなり

あゝ　はてしもなく涕《な》かんことこそ望ましけれ
父も母も兄弟《はらから》も友も、はた見知らざる人々をも忘れて

東明《しののめ》の空の如く丘々をわたりゆく夕べの風の如く
はたなびく小旗の如く涕かんかな

或《ある》はまた別れの言葉の、こだまし、雲に入り、野末にひびき

海の上《へ》の風にまじりてとことはに過ぎゆく如く……

反　歌

あゝ　吾等怯懦《きようだ》のために長き間、いとも長き間
徒《あだ》なることにかゝらひて、涕くことを忘れゐたりしよ、げに忘れゐたりしよ……

〔空しき秋二十数篇は散佚《さんいつ》して今はなし。その第十二のみ、諸井三郎の作曲によりて残りしものなり。〕

湖上

ポッカリ月が出ましたら、
舟を浮べて出掛けませう。
波はヒタヒタ打つでせう、
風も少しはあるでせう。

沖に出たらば暗いでせう、
櫂《（かい）》から滴垂《したゝ》る水の音は
昵懇《ちか》しいものに聞こえませう、
――あなたの言葉の杜切《（とぎ）》れ間を。

月は聴き耳立てるでせう、
すこしは降りても来るでせう、
われら接唇《くちづけ》する時に

月は頭上にあるでせう。
あなたはなほも、語るでせう、
よしないことや拗言《すねごと》や、
洩らさず私は聴くでせう、
——けれど漕ぐ手はやめないで。

ポッカリ月が出ましたら、
舟を浮べて出掛けませう、
波はヒタヒタ打つでせう、
風も少しはあるでせう。

冬の夜

みなさん今夜は静かです
薬鑵《やかん》の音がしてゐます
僕は女を想つてる
僕には女がないのです

それで苦労もないのです
えもいはれない弾力の
空気のやうな空想に
女を描いてみてゐるのです

えもいはれない弾力の
澄み亙《わた》つたる夜《よ》の沈黙《しじま》
薬鑵の音を聞きながら

女を夢みてゐるのです

かくて夜は更け夜は深まつて
犬のみ覚めたる冬の夜は
影と煙草と僕と犬
えもいはれないカクテールです

2

空気よりよいものはないのです
それも寒い夜の室内の空気よりもよいものはないのです
煙よりよいものはないのです
煙より　愉快なものもないのです
やがてはそれがお分りなのです
同感なさる時が　来るのです

空気よりよいものはないのです
寒い夜の痩せた年増《としま》女の手のやうな
その手の弾力のやうな　やはらかい　またかたい

かたいやうな　その手の弾力のやうな
煙のやうな　その女の情熱のやうな
炎《も》えるやうな　消えるやうな

冬の夜の室内の　空気よりよいものはないのです

秋の消息

麻は朝、人の肌《はだへ》に追ひ縋《すが》り
雀らの、声も硬うはなりました
煙突の、煙は風に乱れ散り

火山灰掘れば氷のある如く
けざやけき顥気《(こうき)》の底に青空は
冷たく沈み、しみじみと

教会堂の石段に
日向ぼつこをしてあれば
陽光《ひかり》に廻《めぐ》る花々や
物蔭に、すずろすだける蟲《(むし)》の音《ね》や

秋の日は、からだに暖か
手や足に、ひえびえとして
此の日頃、広告気球は新宿の
空に揚りて漂へり

骨

ホラホラ、これが僕の骨だ、
生きてゐた時の苦労にみちた
あのけがらはしい肉を破つて、
しらじらと雨に洗はれ、
ヌックと出た、骨の尖《さき》。

それは光沢もない、
ただいたづらにしらじらと、
雨を吸収する、
風に吹かれる、
幾分空を反映する。

生きてゐた時に、

これが食堂の雑踏の中に、
坐つてゐたこともある、
みつばのおしたしを食つたこともある、
と思へばなんとも可笑《おか》しい。

ホラホラ、これが僕の骨——
見てゐるのは僕？ 可笑しなことだ。
霊魂はあとに残つて、
また骨の処にやつて来て、
見てゐるのかしら？

故郷《ふるさと》の小川のへりに、
半ばは枯れた草に立つて、
見てゐるのは、——僕？
恰度《ちやうど》立札ほどの高さに、
骨はしらじらととんがつてゐる。

秋日狂乱

僕にはもはや何もないのだ
僕は空手空拳だ
おまけにそれを嘆きもしない
僕はいよいよの無一物だ

それにしても今日は好いお天気で
さつきから沢山の飛行機が飛んでゐる
——欧羅巴《ヨーロッパ》は戦争を起すのか起さないのか
誰がそんなこと分るものか

今日はほんとに好いお天気で
空の青も涙にうるんでゐる
ポプラがヒラヒラヒラヒラしてゐて

子供等は先刻《せんこく》昇天した
もはや地上には日向ぼつこをしてゐる
月給取の妻君とデーデー屋さん以外にゐない
デーデー屋さんの叩く鼓の音が
明るい廃墟を唯独りで讃美し廻つてゐる

あゝ、誰か来て僕を助けて呉《く》れ
ヂオゲネスの頃には小鳥くらゐ啼いたらうが
けふびは雀も啼いてはをらぬ
地上に落ちた物影でさへ、はや余りに淡《あは》い！

――さるにても田舎のお嬢さんは何処に去《い》つたか
その紫の押花《おしばな》はもうにじまないのか
草の上には陽は照らぬのか
昇天の幻想だにもはやないのか？

僕は何を云つてゐるのか

如何《いか》なる錯乱に掠《かす》められてゐるのか
蝶々はどつちへとんでいつたか
今は春でなくて、秋であつたか

ではあゝ、濃いシロップでも飲まう
冷たくして、太いストローで飲まう
とろとろと、脇見もしないで飲まう
何にも、何にも、求めまい！……

朝鮮女

朝鮮女《をんな》の服の紐
秋の風にや縒《よ》れたらん
街道を往くをりをりは
子供の手をば無理に引き
額顰《しか》めし汝《な》が面《おも》ぞ
肌赤銅の乾物《ひもの》にて
なにを思へるその顔ぞ
——まことやわれもうらぶれし
こころに呆《はう》け見ゐたりけむ
われを打見ていぶかりて
子供うながし去りゆけり……
軽く立ちたる埃《ほこり》かも
何をかわれに思へとや

軽く立ちたる埃かも
何をかわれに思へとや……
・・・・・・・・・・・

夏の夜に覚めてみた夢

眠らうとして目をば閉ぢると
真ッ暗なグランドの上に
その日昼みた野球のナインの
ユニホームばかりほのかに白く――

ナインは各々守備位置にあり
狡《ずる》さうなピッチャは相も変らず
お調子者のセカンドは
相も変らぬお調子ぶりの

扨《さて》、待つてゐるヒットは出なく
やれやれと思つてゐると
ナインも打者も悉く《ことごと》消え

人ッ子一人ゐはしないグランドは
忽《たちま》ち暑い真昼《ひる》のグランド
グランド繞《めぐ》るポプラ竝木《なみき》は
蒼々として葉をひるがへし
ひときはつづく蟬しぐれ
やれやれと思つてゐるうち……眠《ね》た

春と赤ン坊

菜の花畑で眠つてゐるのは……
菜の花畑で吹かれてゐるのは……
赤ン坊ではないでせうか？

いいえ、空で鳴るのは、電線です電線です
ひねもす、空で鳴るのは、あれは電線です
菜の花畑に眠つてゐるのは、赤ン坊ですけど

走つてゆくのは、自転車々々
向ふの道を、走つてゆくのは
薄桃色の、風を切つて……

薄桃色の、風を切つて

走つてゆくのは菜の花畑や空の白雲《しろくも》
――赤ン坊を畑に置いて

雲雀

ひねもす空で鳴りますは
あゝ 電線だ、電線だ
ひねもす空で啼きますは
あゝ 雲の子だ、雲雀《(ひばり)》奴《め》だ

碧《あーを》い 碧《あーを》い空の中
ぐるぐるぐると 潜《もぐ》りこみ
ピーチクチクと啼きますは
あゝ 雲の子だ、雲雀奴《め》だ

歩いてゆくのは菜の花畑
地平の方へ、地平の方へ
歩いてゆくのはあの山この山

あーをい　あーをい空の下

眠つてゐるのは、菜の花畑に
菜の花畑に、眠つてゐるのは
菜の花畑で風に吹かれて
眠つてゐるのは赤ん坊だ？

初夏の夜

また今年《こんねん》も夏が来て、
夜は、蒸気で出来た白熊が、
沼をわたつてやつてくる。
——色々のことがあつたんです。
色々のことをして来たものです。
嬉しいことも、あつたのですが、
回想されては、すべてがかなしい
鉄製の、軋音《あつおん》さながら
なべては夕暮迫るけはひに
幼年も、老年も、青年も壮年も、
共々に余りに可憐な声をばあげて、
薄暮の中で舞ふ蛾の下で
はかなくも可憐な顎《あご》をしてゐるのです。

されば今夜《こんや》六月の良夜《あたらよ》なりとはいへ、
遠いい物音が、心地よく風に送られて来るとはいへ、
なにがなし悲しい思ひであるのは、
消えたばかしの鉄橋の響音、
大河《おほかは》の、その鉄橋の上方に、空はぼんやりと石盤色であるのです。

北の海

海にゐるのは、
あれは人魚ではないのです。
海にゐるのは、
あれは、浪ばかり。

曇つた北海の空の下、
浪はところどころ歯をむいて、
空を呪つてゐるのです。
いつはてるとも知れない呪。

海にゐるのは、
あれは人魚ではないのです。
海にゐるのは、
あれは、浪ばかり。

頑是ない歌

思へば遠く来たもんだ
十二の冬のあの夕べ
港の空に鳴り響いた
汽笛の湯気《ゆげ》は今いづこ

雲の間に月はゐて
それな汽笛を耳にすると
竦然《（しょうぜん）》として身をすくめ
月はその時空にゐた

それから何年経つたことか
汽笛の湯気を茫然と
眼で追ひかなしくなつてゐた

あの頃の俺はいまいづこ
今では女房子供持ち
思へば遠く来たもんだ
此の先まだまだ何時までか
生きてゆくのであらうけど

生きてゆくのであらうけど
遠く経て来た日や夜《よる》の
あんまりこんなにこひしゆては
なんだか自信が持てないよ

さりとて生きてゆく限り
結局我《(が)》ン張《(ば)》る僕の性質《さが》
と思へばなんだか我ながら
いたはしいよなものですよ

考へてみればそれはまあ

結局我ゝ張るのだとして
昔恋しい時もあり　そして
どうにかやつてはゆくのでせう

考へてみれば簡単だ
畢竟《ひつきよう》意志の問題だ
なんとかやるより仕方もない
やりさへすればよいのだと

思ふけれどもそれもそれ
十二の冬のあの夕べ
港の空に鳴り響いた
汽笛の湯気や今いづこ

閑寂

なんにも訪《おとな》ふことのない、
私の心は閑寂だ。
　それは日曜日の渡り廊下、
　——みんなは野原へ行つちやつた。
板は冷たい光沢《つや》をもち、
小鳥は庭に啼いてゐる。
　締めの足りない水道の、
　蛇口の滴《しづく》は、つと光り！
土は薔薇色《（ばらいろ）》、空には雲雀《（ひばり）》

空はきれいな四月です。
なんにも訪《おとな》ふことのない、
私の心は閑寂だ。

お道化うた

月の光のそのことを、
盲目少女《めくらむすめ》に教へたは、
ベートーヴェンか、シューバート?
俺の記憶の錯覚が、
今夜とちれてゐるけれど、
ベトちやんだとは思ふけど、
シュバちやんではなかつたらうか?

霧の降つたる秋の夜に、
庭・石段に腰掛けて、
月の光を浴びながら、
二人、黙つてゐたけれど、
やがてピアノの部屋に入り、

泣かんばかりに弾き出した、
あれは、シュバちやんではなかつたらうか？

かすむ街の灯とほに見て、
ウキンの市《まち》の郊外に、
星も降るよなその夜さ一と夜、
蟲《むし》、草叢《くさむら》にすだく頃、
教師の息子の十三番目、
頸の短いあの男、
盲目少女《めくらむすめ》の手をとるやうに、
ピアノの上に勢ひ込んだ、
汗の出さうなその額、
安物くさいその眼鏡、
丸い背中もいぢらしく
吐き出すやうに弾いたのは、
あれは、シュバちやんではなかつたらうか？

シュバちやんかベトちやんか、

そんなこと、いざ知らね、
今宵星降る東京の夜《よる》、
ビールのコップを傾けて、
月の光を見てあれば、
ベトちゃんもシュバちゃんも、はやとほに死に、
はやとほに死んだことさへ、
誰知らうことわりもない……

思ひ出

お天気の日の、海の沖は
なんと、あんなに綺麗なんだ！
お天気の日の、海の沖は、
まるで、金や、銀ではないか

金や銀の沖の波に、
ひかれひかれて、岬の端に
やつて来たれど金や銀は
なほもとほのき、沖で光つた。

岬の端には煉瓦工場が、
工場の庭には煉瓦干されて、
煉瓦干されて赫々《（あかあか）》してゐた

しかも工場は、音とてなかつた

煉瓦工場に、腰をば据えて、
私は暫《しばら》く煙草を吹かした。
煙草吹かしてぼんやりしてると、
沖の方では波が鳴つてた。

沖の方では波が鳴らうと、
私はかまはずぼんやりしてゐた。
ぼんやりしてると頭も胸も
ポカポカポカポカ暖かだつた

ポカポカポカポカ暖かだつたよ
岬の工場は春の陽をうけ、
煉瓦工場は音とてもなく
裏の木立で鳥が啼いてた

鳥が啼いても煉瓦工場は、

ビクともしないでジッとしてゐた
鳥が啼いても煉瓦工場の、
窓の硝子《ガラス》は陽をうけてゐた

窓の硝子は陽をうけてても
ちつとも暖かさうではなかつた
春のはじめのお天気の日の
岬の端の煉瓦工場よ！

＊

煉瓦工場は、その後廃《すた》れて、
煉瓦工場は、死んでしまつた
煉瓦工場の、窓も硝子も、
今は毀《こわ》れてゐようといふもの

煉瓦工場は、廃《すた》れて枯れて、
木立の前に、今もぼんやり
木立に鳥は、今も啼くけど

＊
＊
＊

煉瓦工場は、朽ちてゆくだけ
沖の波は、今も鳴るけど
庭の土には、陽が照るけれど
煉瓦工場に、人夫は来ない
煉瓦工場に、僕も行かない

嘗《かつ》て煙を、吐いてた煙突も、
今はぶきみに、たゞ立つてゐる
雨の降る日は、殊にもぶきみ
晴れた日だとて、相当ぶきみ

相当ぶきみな、煙突でさへ
今ぢやどうさへ、手出しも出来ず
この尨大《ぼうだい》な、古強者《ふるつわもの》が
時々恨む、その眼は怖い
その眼怖くて、今日も僕は

浜へ出て来て、石に腰掛け
ぼんやり俯《うつむ》き、案じてゐれば
僕の胸さへ、波を打つのだ

残暑

畳の上に、寝ころばう、
蠅はブンブン　唸《うな》つてる
畳ももはや　黄色くなつたと
今朝がた　誰かが云つてゐたつけ

それやこれやと　とりとめもなく
僕の頭に　記憶は浮かび
浮かぶがまゝに　浮かべてゐるうち
いつしか　僕は眠つてゐたのだ

覚めたのは　夕方ちかく
まだかなかなは　啼いてたけれど
樹々の梢は　陽を受けてたけど、

僕は庭木に　打水やつた
　打水が、樹々の下枝《しづえ》の葉の尖《さき》に
　光つてゐるのをいつまでも、僕は見てゐた

除夜の鐘

除夜の鐘は暗い遠いい空で鳴る。
千万年も、古びた夜《よる》の空気を顫《ふる》はし、
除夜の鐘は暗い遠いい空で鳴る。

それは寺院の森の霧つた空……
そのあたりで鳴つて、そしてそこから響いて来る。
それは寺院の森の霧つた空……

その時子供は父母の膝下《ひざもと》で蕎麦《そば》を食うべ、
その時銀座はいつぱいの人出、浅草もいつぱいの人出、
その時子供は父母の膝下で蕎麦を食うべ。
その時銀座はいつぱいの人出、浅草もいつぱいの人出。

その時囚人は、どんな心持だらう、どんな心持だらう、
その時銀座はいつぱいの人出、浅草もいつぱいの人出。

除夜の鐘は暗い遠いい空で鳴る。
千万年も、古びた夜《よる》の空気を顫はし、
除夜の鐘は暗い遠いい空で鳴る。

雪の賦

雪が降るとこのわたくしには、人生が、
かなしくもうつくしいものに――
憂愁にみちたものに、思へるのであつた。

その雪は、中世の、暗いお城の塀にも降り、
大高源吾《おおたかげんご》の頃にも降つた……

幾多々々《あまた》の孤児の手は、
そのためにかじかんで、
都会の夕べはそのために十分悲しくあつたのだ。

ロシアの田舎の別荘の、
矢来の彼方《かなた》に見る雪は、

うんざりする程永遠で、
雪の降る日は高貴の夫人も、
ちつとは愚痴でもあらうと思はれ……

雪が降るとこのわたくしには、人生が
かなしくもうつくしいものに――
憂愁にみちたものに、思へるのであつた。

わが半生

私は随分苦労して来た。
それがどうした苦労であつたか、
語らうなぞとはつゆさへ思はぬ。
またその苦労が果して価値の
あつたものかなかつたものか、
そんなことなぞ考へてもみぬ。

とにかく私は苦労して来た。
苦労して来たことであつた！
そして、今、此処《ここ》、机の前の、
自分を見出すばかりだ。
じつと手を出し眺めるほどの
ことしか私は出来ないのだ。

外《そと》では今宵、木の葉がそよぐ。
はるかな気持の、春の宵だ。
そして私は、静かに死ぬる、
坐つたまんまで、死んでゆくのだ。

独身者

石鹼箱には秋風が吹き
郊外と、市街を限る路の上には
大原女《（おはらめ）》が一人歩いてゐた
——彼は独身者《どくしんもの》であつた
彼は極度の近眼であつた
彼はよそゆきを普段に着てゐた
判屋奉公したこともあつた

今しも彼が湯屋から出て来る
薄日の射してる午後の三時
石鹼箱には風が吹き
郊外と、市街を限る路の上には
大原女が一人歩いてゐた

春宵感懐

雨が、あがつて、風が吹く。
　雲が、流れる、月かくす。
みなさん、今夜は、春の宵。
なまあつたかい、風が吹く。

なんだか、深い、溜息が、
　なんだかはるかな、幻想が、
湧くけど、それは、摑《つか》めない。
　誰にも、それは、語れない。

誰にも、それは、語れない
　ことだけれども、それこそが、
いのちだらうぢやないですか、

けれども、それは、示《あ》かせない……

かくて、人間、ひとりびとり、
こころで感じて、顔見合せれば
につこり笑ふといふほどの
ことして、一生、過ぎるんですねえ

雨が、あがつて、風が吹く。
雲が、流れる、月かくす。
みなさん、今夜は、春の宵。
なまあつたかい、風が吹く。

曇天

ある朝　僕は　空の　中に、
黒い　旗が　はためくを　見た。
はたはた　それは　はためいて　ゐたが、
音は　きこえぬ　高きが　ゆゑに。

手繰り　下ろさうと　僕は　したが、
綱も　なければ　それも　叶《(かな)》はず、
旗は　はたはた　はためく　ばかり、
空の　奥処《おく(が)》に　舞ひ入る　如く。

かゝる　朝《あした》を　少年の　日も、
屢々《(しばしば)》　見たりと　僕は　憶ふ。
かの時は　そを　野原の　上に、

今はた　都会の　甍《いらか》の　上に。
かの時　この時　時は　隔つれ、
此処《ここ》と　彼処《かしこ》と　所は　異れ、
はたはた　はたはた　み空に　ひとり、
いまも　渝《かわ》らぬ　かの　黒旗よ。

蜻蛉に寄す

あんまり晴れてる　秋の空
赤い蜻蛉《とんぼ》が　飛んでゐる
淡《あは》い夕陽を　浴びながら
僕は野原に　立つてゐる

遠くに工場の　煙突が
夕陽にかすんで　みえてゐる
大きな溜息　一つついて
僕は蹲《しやが》んで　石を拾ふ

その石くれの　冷たさが
漸《ようや》く手中《しゆちう》で　ぬくもると
僕は放《ほか》して　今度は草を

夕陽を浴びてる　草を抜く
抜かれた草は　土の上で
ほのかほのかに　萎《な》えてゆく
遠くに工場の　煙突は
夕陽に霞《かす》んで　みえてゐる

永訣の秋

ゆきてかへらぬ

――京　都――

僕は此の世の果てにゐた。陽は温暖に降り洒《そそ》ぎ、風は花々揺つてゐた。

木橋の、埃りは終日、沈黙し、ポストは終日赫々《あかあか》と、風車を付けた乳母車、いつも街上に停つてゐた。

棲む人達は子供等は、街上に見えず、僕に一人の縁者《みより》なく、風信機《かざみ》の上の空の色、時々見るのが仕事であつた。

さりとて退屈してもゐず、空気の中には蜜があり、物体ではないその蜜は、常住食すに適してゐた。

煙草くらゐは喫つてもみたが、それとて匂ひを好んだばかり。おまけに僕としたことが、戸外でしか吹かさなかつた。

さてわが親しき所有品《もちもの》は、タオル一本。枕は持つてゐたとはいへ、布団ときたらば影だになく、歯刷子《はぶらし》くらゐは持つてもゐたが、たつた一冊ある本は、中に何にも書いてはなく、時々手にとりその目方、たのしむだけのものだつた。

女たちは、げに慕はしいのではあつたが、一度とて、会ひに行かうと思はなかつた。夢みるだけで沢山だつた。

名状しがたい何物かゞ、たえず僕をば促進し、目的もない僕ながら、希望は胸に高鳴つてゐた。

＊　＊　＊

林の中には、世にも不思議な公園があつて、無気味な程にもにこやかな、女や子供、男達散歩してゐて、僕に分らぬ言語を話し、僕に分らぬ感情を、表情してゐた。

さてその空には銀色に、蜘蛛の巣が光り輝いてゐた。

一つのメルヘン

秋の夜は、はるかの彼方《かなた》に、
小石ばかりの、河原があつて、
それに陽は、さらさらと
さらさらと射してゐるのでありました。

陽といつても、まるで硅石《けいせき》か何かのやうで、
非常な個体の粉末のやうで、
さればこそ、さらさらと
かすかな音を立ててもゐるのでした。

さて小石の上に、今しも一つの蝶がとまり、
淡い、それでゐてくつきりとした
影を落としてゐるのでした。

やがてその蝶がみえなくなると、いつのまにか、
今迄流れてもゐなかつた川床に、水は
さらさらと、さらさらと流れてゐるのでありました……

幻影

私の頭の中には、いつの頃からか、
薄命さうなピエロがひとり棲んでゐて、
それは、紗《(しや)》の服かなんかを着込んで、
そして、月光を浴びてゐるのでした。

ともすると、弱々しげな手付をして、
しきりと　手真似をするのでしたが、
その意味が、つひぞ通じたためしはなく、
あはれげな　思ひをさせるばつかりでした。

手真似につれては、唇《くち》も動かしてゐるのでしたが、
古い影絵でも見てゐるやう――
音はちつともしないのですし、

何を云つてるのかは　分りませんでした。

しろじろと身に月光を浴び、
あやしくもあかるい霧の中で、
かすかな姿態をゆるやかに動かしながら、
眼付ばかりはどこまでも、やさしさうなのでした。

あばずれ女の亭主が歌つた

おまへはおれを愛してる、一度とて
おれを憎んだためしはない。
おれもおまへを愛してる。前世から
さだまつてゐたことのやう。
そして二人の魂は、不識《しらず》に温和に愛し合ふ
もう長年の習慣だ。
それなのにまた二人には、
ひどく浮気な心があつて、
いちばん自然な愛の気持を、

時にうるさく思ふのだ。

佳い香水のかほりより、
病院の、あはい匂ひに慕ひよる。

そこでいちばん親しい二人が、
時にいちばん憎みあふ。

そしてあとでは得態《えたい》の知れない
悔の気持に浸るのだ。

あゝ、二人には浮気があつて、
それが真実《ほんと》を見えなくしちまふ。

佳い香水のかほりより、
病院の、あはい匂ひに慕ひよる。

言葉なき歌

あれはとほい処にあるのだけれど
おれは此処《(ここ)》で待つてゐなくてはならない
此処は空気もかすかで蒼く
葱《(ねぎ)》の根のやうに仄《(ほの)》かに淡《あは》い

決して急いではならない
此処で十分待つてゐなければならない
処女《むすめ》の眼《め》のやうに遥かを見遣《(みや)》つてはならない
たしかに此処で待つてゐればよい

それにしてもあれはとほい彼方で夕陽にけぶつてゐた
号笛《フィトル》の音《ね》のやうに太くて繊弱だつた
けれどもその方へ駆け出してはならない

たしかに此処で待つてゐなければならない
さうすればそのうち喘《あえ》ぎも平静に復し
たしかにあすこまでゆけるに違ひない
しかしあれは煙突の煙のやうに
とほくとほく　いつまでも茜《あかね》の空にたなびいてゐた

月夜の浜辺

月夜の晩に、ボタンが一つ
波打際に、落ちてゐた。

それを拾つて、役立てようと
僕は思つたわけでもないが
なぜだかそれを捨てるに忍びず
僕はそれを、袂《たもと》に入れた。

月夜の晩に、ボタンが一つ
波打際に、落ちてゐた。

それを拾つて、役立てようと
僕は思つたわけでもないが

　月に向つてそれは抛《ほう》れず
　浪に向つてそれは抛れず
僕はそれを、袂に入れた。

月夜の晩に、拾つたボタンは
指先に沁《し》み、心に沁みた。

月夜の晩に、拾つたボタンは
どうしてそれが、捨てられようか？

また来ん春……

また来ん春と人は云ふ
しかし私は辛いのだ
春が来たつて何になろ
あの子が返つて来るぢやない

おもへば今年の五月には
おまへを抱いて動物園
象を見せても猫《にやあ》といひ
鳥を見せても猫《にやあ》だつた

最後にみせた鹿だけは
角によつぽど惹かれてか
何とも云はず　眺めてた

ほんにおまへもあの時は
此の世の光のたゞ中に
立つて眺めてゐたつけが……

月の光　その一

月の光が照つてゐた
月の光が照つてゐた

お庭の隅の草叢《くさむら》に
隠れてゐるのは死んだ児だ

月の光が照つてゐた
月の光が照つてゐた

おや、チルシスとアマントが
芝生の上に出て来てる

ギタアを持つては来てゐるが

おつぽり出してあるばかり
月の光が照つてゐた
月の光が照つてゐた

月の光　その二

おゝチルシスとアマントが
庭に出て来て遊んでる
ほんに今夜は春の宵
なまあつたかい靄《もや》もある

月の光に照らされて
庭のベンチの上にゐる
ギタアがそばにはあるけれど
いつから弾き出しさうもない

芝生のむかふは森でして

とても黒々してゐます
お丶チルシスとアマントが
こそこそ話してゐる間
森の中では死んだ子が
蛍のやうに蹲《しやが》んでる

村の時計

村の大きな時計は、
ひねもす動いてゐた

その字板《じいた》のペンキは、
もう艶《つや》が消えてゐた

近寄つてみると、
小さなひびが沢山にあるのだつた

それで夕陽が当つてさへが、
おとなしい色をしてゐた

時を打つ前には、

ぜいぜいと鳴つた
字板が鳴るのか中の機械が鳴るのか
僕にも誰にも分らなかつた

或る男の肖像

1

洋行帰りのその洒落者《しやれもの》は、
齢《とし》をとつても髪に緑の油をつけてた。

夜毎喫茶店にあらはれて、
其処《そこ》の主人と話してゐる様《さま》はあはれげであつた。

死んだと聞いてはいつそうあはれであつた。

2

――幻滅は鋼《はがね》のいろ。

髪毛の艶《つや》と、ラムプの金との夕まぐれ

庭に向つて、開け放たれた戸口から、
彼は戸外に出て行つた。

剃りたての、頸条《うなじ》も手頸《てくび》も
どこもかしこもそはそはと、
寒かつた。

開け放たれた戸口から
悔恨は、風と一緒に容赦なく
吹込んでゐた。

読書も、しむみりした恋も、
暖かいお茶も黄昏《たそがれ》の空とともに
風とともにもう其処にはなかつた。

3

彼女は
壁の中へ這入《(はい)》つてしまつた。

それで彼は独り、部屋で卓子《テーブル》を拭いてゐた。

冬の長門峡

長門峡に、水は流れてありにけり。
寒い寒い日なりき。

われは料亭にありぬ。
酒酊《く》みてありぬ。

われのほか別に、
客とてもなかりけり。

水は、恰《あたか》も魂あるものの如く、
流れ流れてありにけり。

やがても密柑《みかん》の如き夕陽、

欄干にこぼれたり。
あゝ！——そのやうな時もありき、
寒い寒い　日なりき。

米子

二十八歳のその処女《むすめ》は、
肺病やみで、腓《ひ》は細かつた。
ポプラのやうに、人も通らぬ
歩道に沿つて、立つてゐた。

処女《むすめ》の名前は、米子と云つた。
夏には、顔が、汚れてみえたが、
冬だの秋には、きれいであつた。
――かぼそい声をしてをつた。

二十八歳のその処女《むすめ》は、
お嫁に行けば、その病気は
癒《なお》るかに思はれた。と、さう思ひながら

私はたびたび処女《むすめ》をみた……
しかし一度も、さうと口には出さなかつた。
別に、云ひ出しにくいからといふのでもない
云つて却《かえ》つて、落胆させてはと思つたからでもない、
なぜかしら、云はずじまひであつたのだ。

二十八歳のその処女《むすめ》は、
歩道に沿つて立つてゐた、
雨あがりの午後、ポプラのやうに。
――かぼそい声をもう一度、聞いてみたいと思ふのだ……

正午

丸ビル風景

あゝ十二時のサイレンだ、サイレンだサイレンだ
ぞろぞろぞろぞろ出てくるわ、出てくるわ出てくるわ
月給取の午休《ひるやす》み、ぷらりぷらりと手を振つて
あとからあとから出てくるわ、出てくるわ出てくるわ
大きなビルの真ッ黒い、小ッちやな小ッちやな出入口
空はひろびろ薄曇り、薄曇り、埃りも少々立つてゐる
ひよんな眼付で見上げても、眼を落としても……
なんのおのれが桜かな、桜かな桜かな
あゝ十二時のサイレンだ、サイレンだサイレンだ
ぞろぞろぞろぞろ、出てくるわ、出てくるわ出てくるわ
大きいビルの真ッ黒い、小ッちやな小ッちやな出入口
空吹く風にサイレンは、響き響きて消えてゆくかな

春日狂想

1

愛するものが死んだ時には、
自殺しなけあなりません。

愛するものが死んだ時には、
それより他に、方法がない。

けれどもそれでも、業《ごう》（?）が深くて、
なほもながらふこととなつたら、

奉仕の気持に、なることなんです。
奉仕の気持に、なることなんです。

愛するものは、死んだのですから、
たしかにそれは、死んだのですから、
もはやどうにも、ならぬのですから、
そのもののために、そのもののために、
奉仕の気持に、ならなけあならない。
奉仕の気持に、ならなけあならない。

2

奉仕の気持になりはなつたが、
さて格別の、ことも出来ない。
そこで以前《せん》より、本なら熟読。
そこで以前《せん》より、人には丁寧。
テムポ正しき散歩をなして
麦稈真田《ばくかんさなだ》を敬虔《(けいけん)》に編み——

まるでこれでは、玩具《おもちゃ》の兵隊、
まるでこれでは、毎日、日曜。

神社の日向を、ゆるゆる歩み、
知人に遇《あ》へば、にっこり致し、
飴売爺々《あめうりじじい》と、仲よしになり、
鳩に豆なぞ、パラパラ撒いて、
まぶしくなつたら、日蔭に這入《はい》り、
そこで地面や草木を見直す。
苔はまことに、ひんやりいたし、
いはうやうなき、今日の麗日。
参詣人等もぞろぞろ歩き、
わたしは、なんにも腹が立たない。

（まことに人生、一瞬の夢、
　ゴム風船の、美しさかな。）

空に昇つて、光つて、消えて——
やあ、今日は、御機嫌いかが。
久しぶりだね、その後どうです。
そこらの何処《どこ》かで、お茶でも飲みましよ。

勇んで茶店に這入りはすれど、
ところで話は、とかくないもの。
煙草なんぞを、くさくさ吹かし、
名状しがたい覚悟をなして、——

戸外《そと》はまことに賑かなこと！
——ではまたそのうち、奥さんによろしく、外国《あっち》に行つたら、たよりを下さい。
あんまりお酒は、飲まんがいいよ。

馬車も通れば、電車も通る。
まことに人生、花嫁御寮。

まぶしく、美《は》しく、はた俯《うつむ》いて、
話をさせたら、でもうんざりか？

それでも心をポーッとさせる、
まことに、人生、花嫁御寮。

3

ではみなさん、
喜び過ぎず悲しみ過ぎず、
テムポ正しく、握手をしませう。

つまり、我等に欠けてるものは、
実直なんぞと、心得まして。

ハイ、ではみなさん、ハイ、御一緒に——
テムポ正しく、握手をしませう。

蛙声

天は地を蓋《(おお)》ひ、
そして、地には偶々《(たまたま)》池がある。
その池で今夜一と夜さ蛙は鳴く……
――あれは、何を鳴いてるのであらう？

その声は、空より来り、
空へと去るのであらう？
天は地を蓋ひ、
そして蛙声《(あせい)》は水面に走る。

よし此の地方《くに》が湿潤に過ぎるとしても、
疲れたる我等が心のためには、
柱は猶、余りに乾いたものと感《おも》はれ、

頭は重く、肩は凝るのだ。
さて、それなのに夜が来れば蛙は鳴き、
その声は水面に走つて暗雲に迫る。

後記

茲《ここ》に収めたのは、「山羊の歌」以後に発表したものの過半数である。作つたのは、最も古いのでは大正十四年のもの、最も新しいのでは昭和十二年のものがある。序《つい》でだから云ふが、「山羊の歌」には大正十三年春の作から昭和五年春迄のものを収めた。

詩を作りさへすればそれで詩生活といふことが出来れば、私の詩生活も既に二十三年を経た。もし詩を以て本職とする覚悟をした日からを詩生活と称すべきなら、十五年間の詩生活である。

長いといへば長い、短いといへば短いその年月の間に、私の感じたこと考へたことは尠《すくな》くない。今その概略を述べてみようかと、一寸思つてみるだけでもゾッとする程だ。私は何にも、だから語らうとは思はない。たゞ私は、私の個性が詩に最も適することを、確実に確めた日から詩を本職としたのであつたことだけを、ともかくも云つておきたい。

私は今、此の詩集の原稿を纏め、友人小林秀雄に托し、東京十三年間の生活に別れて、郷里に引籠《ひきこも》るのである。別に新しい計画があるのでもないが、いよいよ詩生活に沈潜しようと思つてゐる。
扨《さて》、此の後どうなることか……それを思へば茫洋とする。
さらば東京！　おゝわが青春！

〔一九三七、九、二三〕

末黒野

温泉集

1 珍しき小春日和よ縁に出で爪を摘むなり味気なき我

2 籠見れば炭たゞ一つ残るあり冬の夜更の心寂しも

3 友食へば嫌ひなものも食ひたくて食ふてみるなり懶《ものう》き日曜

4 森に入る雪の細路に陽はさして今日は朝から行く人もなし

5 二本のレール遠くに消ゆる其《そ》の辺陽炎《かげろう》淋しくたちてある哉《かな》

6 森に入る春の朝日の心地よき露キラ〳〵と光る美しさ

7 幾ら見ても変りなきに淋しき心同じ掛物見つむる心

8 大山の腰を飛びゆく二羽の鳥秋空白うして我淋しかり

9 湧く如き淋しみ覚ゆ秋の日を山に登りて口笛吹けば

10 怒りたるあとの怒よ仁丹の二三十個をカリ〳〵と嚙む

11 悲しみは消えず泣かれず痛む胸抱くが如く冬の夜道ゆく

12 小春日のいぢら暖さに土手の土もチクリ〳〵と凍溶《いてと》けるらし

13 命なき石の悲しさよければころがりまた止まるのみ

14 何処《いずこ》にか歌へば声の忽《たちまち》に消えてゆくなり静けき山の中

15 細き山路通りかゝれるこの我をよけてひとこといふ爺《じい》もあり

16 枯草に寝て思ふまゝ息をせり秋空高く山紅かりき

17 冬の夜一人ゐる間の淋しさよ銀の時針のいやに光るも
18 冬の朝床の中より傍の友にゆふべの夢語るなり
19 紅の落葉すざむき秋風に我が足もとをカサ〳〵とゆく
20 晩秋の乳色空に響き入るおゝ口笛よ我の歌なる
21 汽車の窓幼き時に遊びたる饒津《にぎつ》神社の遠くなりゆく
22 かばかりの胸の痛みをかばかりの胸の甘味を我合せ知る
23 ヒン〳〵と嘶く馬のその声に晩秋の日も暮れてゆくかな
24 刈られし田に遊べる子等の号《さけ》び声淋しく聞こゆ秋深みかも
25 買物に出かける母に連れられし金沢の歳暮の懐しきかな
26 何故か今日胸に幻漂へる旅せし友の目に浮びては
27 この朝を竹伐《き》りてあり百姓の霧の中よりほんのりみゆる
28 川辺《かわのべ》の水の溜にげんごらう砂とたはむるその静けさよ

生前発表詩篇

初期短歌

筆

29 筆とりて手習させし我母は今は我より拙《つたな》しと云ふ

冬されよ

30 冬去れよそしたら雲雀《ひばり》がなくだらう桜もさくだらう
31 冬去れよ梅が祈つてゐるからにおまへがゐては梅がこまるぞ
32 冬去れば梅のつぼみもほころびてうぐひすなきておもしろきかな

子供心

33 菓子くれと母のたもとにせがみつくその子供心にもなりてみたけれ
34 ぬす人がはいつたならばきつてやるとおもちやのけんを持ちて寝につく

春をまちつゝ

35 梅の木にふりかゝりたるその雪をはらひてやれば喜びのみゆ
36 人にてもチッチッいへば雲雀かと思へる春の初め頃かな

小芸術家

37 芸術を遊びごとだと思つてるその心こそあはれなりけれ

煙

38 ユラユラと曇れる空を指してゆく淡き煙よどこまでゆくか
39 白き空へ黒き煙のぼりゆけば秋のその日もなほ淋しかり
40 的《あて》もなく内を出でけり二町ほど行きたる時に後を眺めぬ
41 たゞチッと聞いてありしがたまらざり姿勢正して我いひはじむ
42 腹たちて紙三枚をさきてみぬ四枚目からが惜しく思はる
43 見ゆるもの聞ゆるものが淋しかり歌にも詩にもなりはせざりき
44 天下の人これきけといふざまをして山に登ればハモニカ吹けり

冬の歌

45 橇《そり》などに身の凍るまで走りてもみたかり雪の原さへみれば

春の日

46 遠ざかる港の町の灯は悲し夕の海を我が船はゆく

47 麦の香の嬉しくなりて麦笛を作りて吹けり一人ゆく路

48 人気なき古き貸屋に春の陽の細くさし入り昼静かにも

49 友ところぶれんげ田に風そよ吹きて汽車の汽笛の遠く鳴るなる

50 朝までは雨の降りしに家々のいらか乾きて風強き街

51 心にもあらざることを人にいひ偽りて笑ふ友を哀れむ日

五月

52 昼たちし砂塵もじつと落付きて淡《うす》ら悲しき春の夕よ

偉大なるもの

53 地を嗅ぎてもの漁《あさ》る犬のその如く夕の公園に出でては来しが

54 夕暮の公園の池の水静か誰一人ゐず石落としみる

55 大河に投げんとしたるその石を二度みられずとよくみいる心

56 静かなる河のむかふに男一人一人の我と共に笑みたり

57 偉大なる自然の前の小さき人間吹くハモニカの音もなさけなし

58 限もなき空の真下の木の下に伏して胸苦し何が胸苦しきか

59 海原はきはまりもなし明日はたつこの旅の地の夕焼の空

60 砂原に大の字にねて海の上《へ》のかき曇る雲に寂漠をうつたふ

61 大いなる自然の前に腕組みてはむかひてみぬ何の為なるか

62 欠伸《あくび》して伸ばせし腕の瘠《や》せてをり寝覚悲しき初夏の朝

63 陽光の消《きえ》しばかりの夕空に煙は登る川辺にたてば

64 蚊を焼けどいきもの焼きしくさみせず悪しきくさみのせざれば淋し

65 可愛ければ擲《なぐ》るといひて我を打ちし彼の赤顔の教師忘れず

66 山近き家に過ごしし一日の黙せし故の心豊かさ

夏

67 夏の日は偉人のごとくはでやかに今年もきしか空に大地に

68 俄《にわ》かにも曇りし夏の大空の下に木の葉は静かにゆらぐ

69 去りてゆく別府の駅の夜はさびし雨降り出でて汽笛なりけり

70 人みなを殺してみたき我が心その心我に神を示せり

71 世の中の多くの馬鹿のそしりごと忘れ得ぬ我祈るを知れり
72 我が心我のみ知る！といひしまゝ秋の野路に一人我泣く
73 そんなことが己の問題であるものかといひこしことの苦となる此頃
74 やはらかき陽のさして来る青空を想ひて悲しすさぶ我が心

秋闌ける野にて

75 やせ馬の声の悲しく秋の気にひびきてかへす秋闌《た》ける頃
76 うねりうねるこの細路のかなたなる社の鳥居みえてさびしき
77 みのりたる稲穂の波に雲のかげ黒くうつりて我が心うなだる
78 この路のはてにゆくほど秋たけてゐるごとく思ふ野の細き路
79 書斎よりやはらかき陽さす秋の野をたゞぼんやりとながめてをれり
80 アルプスの頂の絵をみるごとき寂しき心我に絶えざり
81 たふれたる稲穂に秋の陽は光りおぼろあつさを眉毛に覚ゆ

冬の日暮るる頃

82　玄関に夕刊投げし音のしぬ街道静かに夕せまる頃

83　吹雪する夕暮頃の路ゆけば農家の燈《あかり》見えずさびしも

84　一つ一つ軒の灯火《ともしび》ともりつゝ雪ピッタリと止みにけるかも

85　一筋の路に添ひたつ電柱の多くはみえず雪降れば寂し

86　ひねもすを鳴き疲かれたる鳥一羽夕の空をひたに飛びゆく

87　冬空の夕べ飛びゆく鳥の声野に立ちきけばさびしさのわく

88　湯を出でて心たらへり何もかも落ち付きはらふ心なるかも

89　さびれたる冬野の中をうねりうねる畦路《あぜみち》遠く雪おける見ゆ

90　舟人の帆を捲く音の夕空にひゞき消えゆき吾《われ》内に入る

去年今頃の歌

91　吹雪夜の身をきる風を吹けとごと汽車は鳴りけり旅心わく

92　出してみる幼稚園頃の手工など雪溶の日は寂しきものを

93　犀川《さいがわ》の冬の流れを清二郎も泣いてきゝしか僕の如くに

94　来てみれば昔の我を今にする子等もありけり夕日の運動場（母校に来て）

95　みつめたる石を拾ひて投げてみる此の我が心空虚を覚ゆ

96　ふるき友にあひたくなりて何がなし近くの山に走りし心！

97 静かなる春近き日の午後の池に杭の影して冷たさうなり

98 向ふ山に人のぼるみゆギラギラと春近き日の光まばゆくて

99 珍しき冬の晴天に凍溶《いてと》けし泥に鶏ながながとなく

100 紅くみゆるともしのつきて雪の降り静かに眠る冬の夕暮

101 出でゆきし友は帰らず冬の夜更灰ほりみれば火の一つあり

102 一段と高きとこより凡人の愛みて嗤《わら》ふ我が悪魔心

103 火廻りの拍子木の音に此の夜を目ざめて遠く犬吠ゆを聞く

104 暗《やみ》の中に銀色の目せる幻の少女あるごとし冬の夜目開けば

105 夜明がた霜ふみくだき道ゆけば草鞋片足打ち捨てありぬ

106 小さき雲動けるが上の青空の底深くひびけ川瀬の音よ

107 猫を抱きややに久しく撫《な》でやりぬすべての自信滅び行きし日

詩篇

暗い天候（二・三）

二

こんなにフケが落ちる、
　秋の夜に、雨の音は
トタン屋根の上でしてゐる……
　お道化《どけ》てゐるな——
しかしあんまり哀しすぎる。

犬が吠える、蟲《むし》が鳴く、
　畜生！　おまへ達には社交界も世間も、
ないだろ。着物一枚持たずに、
　俺も生きてみたいんだよ。

吠えるなら吠えろ、

鳴くなら鳴け、
目に涙を湛《たた》えて俺は仰臥さ。
　さて、俺は何時死ぬるのか、明日か明後日か……
——やい、豚、寝ろ！

こんなにフケが落ちる、
秋の夜に、雨の音は
トタン屋根の上でしてゐる。
　なんだかお道化てゐるな
しかしあんまり哀しすぎる。

三

この穢《けが》れた涙に汚れて、
今日も一日、過ごしたんだ。
暗い冬の日が梁《はり》や壁を搾《し》めつけるやうに、
私も搾められてゐるんだ。

赤ン坊の泣声や、おひきずりの靴の音や、
昆布や烏賊《するめ》や洟紙《(はながみ)》や首巻や、
みんなみんな、街道沿ひの電線の方へ
荷馬車の音も耳に入らずに、舞ひ颺《(あが)》り舞ひ颺り
吁《(ああ)》！　はたして昨日が晴日《おてんき》であつたかどうかも、
私は思ひ出せないのであつた。

嘘つきに

私はもう、嘘をつく心には倦《(あ)》きはてた。
なんにも慈《(いつくし)》むことがなく、うすつぺらな心をもち、
そのくせビクビクしながら、面白半分ばかりして、

それにまことしやかな理窟をつける。

私はもう、嘘をつく心には倦きはてた。
なんにも了解したためしはなく、もとより自分を知りはしないで、
意地つぱりで退屈で、何一つ出来もしないに
人ごとのおひやらかしばかりしてゐる。
私はもう、嘘をつく心には倦き果てた！

我が祈り

小林秀雄に

神よ、私は俗人の奸策《かんさく》ともない奸策が
いかに細き糸目もて編みなされるかを知つてをります。
神よ、しかしそれがよく編みなされてゐればゐる程、

破れる時には却《かえつ》て速かに乱離することを知つてをります。
神よ、私は人の世の事象が
いかに微細に織られるかを心理的にも知つてをります。
しかし私はそれらのことを、
一も知らないかの如く生きてをります。

私は此所《ここ》に立つてをります!………
私はもはや歌はうとも叫ばうとも、
描かうとも説明しようとも致しません!

しかし、噫《ああ》! やがてお恵みが下ります時には、
やさしくうつくしい夜の歌と
櫂歌《かいうた》とをうたはうと思つてをります………

一九二九、一二、一二

夜更け

夜が更けて帰つてくると、
丘の方でチャルメラの音が……

　　夜が更けて帰つて来ても、
　　電車はまだある。

……かくて私はこの冬も
夜毎を飲むで更かすならひか……

　　からした性《さが》を悲しむだ
　　父こそ今は世になくて、

夜が更けて帰つて来ると、

丘の方でチャルメラの音が……
電車はまだある、
夜は更ける……

或る女の子

この利己一偏の女の子は、
この小つちや脳味噌は、
少しでもやさしくすれば、
おほよろこびで……
少しでも素気なくすれば、

すぐもう逃げる……

そこで私が、「ひどくみえてても
やさしいのだよ」といつてやると、
ほんとにひどい時でも
やさしいのだと思つてゐる……
この利己一偏の女の子は、
この小つちや脳味噌は、
――この小つちやな脳味噌のために道の平らかならんことを……

夏と私

真ッ白い嘆かひのうちに、
海を見たり。鷗《かもめ》を見たり。

高きより、風のただ中に、
思ひ出の破片の翻転するをみたり。

夏としなれば、高山に、
真ッ白い嘆きを見たり。

燃ゆる山路を、登りゆきて
頂上の風に吹かれたり。

風に吹かれつ、わが来し方に

茫然としぬ、………涙しぬ。

はてしなき、そが心
母にも、……もとより友にも明さざりき。

しかすがにのぞみのみにて、
拱《こまぬ》きて、そがのぞみに圧倒さるる。

わが身を見たり、夏としなれば、
そのやうなわが身を見たり。

ピチベの哲学

チョンザイチョンザイピーフービー

俺は愁《かな》しいのだよ。
——あの月の中にはな、
色蒼ざめたお姫様がゐて……
それがチャールストンを踊つてゐるのだ。
けれどもそれは見えないので、
それで月は、あのやうに静かなのさ。

チョンザイチョンザイピーフービー
チャールストンといふのはとてもあのお姫様が踊るやうな踊りではないけれども、
そこがまた月の世界の神秘であつて、
却々《なかなか》六ヶ敷《むつかし》いところさ。

チョンザイチョンザイピーフービー
だがまたとつくと見てゐるうちには、
それがさうだと分つても来るさ。
迅《はや》いといへば迅い、緩《おそ》いといへば緩《おそ》いテムポで、
ああしてお姫様が踊つてゐられるからこそ、
月はあやしくも美しいのである。

真珠のやうに美しいのである。
チョンザイチョンザイピーフービー
ゆるやかなものがゆるやかだと思ふのは間違つてゐるぞォ。
さて俺は落付かう、なんてな、
さういふのが間違つてゐるぞォ。
イライラしてゐる時にはイライラ、
のんびりしてゐる時にはのんびり、
あのお月様の中のお姫様のやうに
なんにも考へずに絶えずもう踊つてゐれあ
それがハタから見れあ美しいのさ。
チョンザイチョンザイピーフービー
真珠のやうに美しいのさ。

我がヂレンマ

僕の血はもう、孤独をばかり望んでゐた。
それなのに僕は、屢々《しばしば》人と対坐してゐた。
僕の血は為《な》す所を知らなかつた。
気のよさが、独りで勝手に話をしてゐた。

後では何時でも後悔された。
それなのに孤独に浸ることは、亦《また》怖いのであつた。
それなのに孤独を棄《す》てることは、亦出来ないのであつた。
かくて生きることは、それを考へみる限りに於て苦痛であつた。

野原は僕に、遊べと云つた!
遊ぼうと、僕は思つた。——しかしさう思ふことは僕にとつて、
既に余りに社会を離れることを意味してゐるのであつた。

かくて僕は野原にゐることもやめるのであつたが、
又、人の所にもゐなかつた……僕は書斎にゐた。
そしてくされる限りにくさつてゐた、そしてそれをどうすることも出来なかつた。

—二・一九三五—

寒い！

毎日寒くてやりきれぬ。
瓦もしらけて物云はぬ。
小鳥も啼かないくせにして
犬なぞ啼きます風の中。
飛礫《つぶて》とびます往還は、

地面は乾いて艶《つや》もない。
自動車の、タイヤの色も寒々と
僕を追ひ越し走りゆく。

山もいたつて殺風景、
鈍色《にびいろ》の空にあつけらかん。
部屋に籠《こも》れば僕なぞは
愚痴つぽくなるばかりです。

から寒くてはやりきれぬ。
お行儀のよい人々が、
笑はうとなんとかまはない
わめいて春を呼びませう……

（一九三五・二）

雨の降るのに

雨の降るのに
肩が凝る
てもまあいやみな
風景よ

顔はしらむで
あぶらぎり
あばたも少しは
あらうもの

チエッ、お豆腐屋の
笛の声――
風に揺られる

炊煙よ
炊煙に降る
雨の脚
雨の降るのに
肩が凝る

落日

この街《まち》は、見知らぬ街ぞ、
この郷《くに》は、見知らぬ郷ぞ
落日は、目に泌《(し)》み人はけふもまた
褐《かち》のかひなをふりまはし、ふりまはし、
はたらきて、ゐるよなアー。

倦怠

倦怠の谷間に落つる
この真ッ白い光は、
私の心を悲しませ、
私の心を苦しくする。

真ッ白い光は、沢山の
倦怠の呟《つぶや》きを掻消《かきけ》してしまひ、
倦怠は、やがて憎怨となる
かの無言なる惨《いた》ましき憎怨………

忽《たちま》ちにそれは心を石と化し
人はただ寝転ぶより仕方もないのだ
同時に、果されずに過ぎる義務の数々を

悔いながらにかぞへなければならないのだ。
はては世の中が偶然ばかりとみえてきて、
人はただ、絶えず慄《ふる》へる、木の葉のやうに
午睡《ぼうぜん》から覚めたばかりのやうに
呆然たる意識の裡《うち》に、眼《まなこ》光らせ死んでゆくのだ

女給達

なにがなにやらわからないのよ――流行歌

彼女等が、どんな暮しをしてゐるか、
彼女等が、どんな心で生きてゐるか、
私は此の目でよく見たのです、
はつきりと、見て来たのです。

彼女等は、幸福ではない、
彼女等は、悲しんでゐる、
彼女等は、悲しんでゐるけれどその悲しみを
ごまかして、幸福さうに見せかけてゐる。

なかなか派手さうに事を行ひ、
なかなか気の利いた風にも立廻り、
楽観してゐるやうにさへみえるけれど、
或ひは、十分図太くくらゐは成れてゐるやうだけれど、

彼女等は、悲しんでゐる、
内心は、心配してゐる、
そして時に他の不幸を聞及びでもしようものなら、
「可哀相に」と云ひながら、大声を出して喜んだりするのです。

一九三五、六、六

夏の明方《あけがた》年長妓《としま》が歌つた

——小竹の女主人《ばばあ》に捧ぐ

うたひ歩いた揚句の果は
空が白むだ、夏の暁《あけ》だよ
随分馬鹿にしてるわねえ
一切合切《いつさいがつさい》キリガミ細工
銹《さ》び付いたやうなところをみると
随分鉄分には富んでるとみえる
林にしたつて森にしたつて
みんな怖《お》づ怖づしがみついてる
夜露が下りてゐるとこなんぞ
だつてま、しほらしいぢやあないの
棄《す》てられた紙や板切れだつて
あんなに神妙、地面にへたばり
植えられたばかりの苗だつて

ずいぶんつましく風にゆらぐ
まるでこつちを見向きもしないで
あんまりいぢらしい小娘みたい
あれだつて都に連れて帰つて
みがきをかければなんとかならうに
左程々々《さうさう》こつちもかまつちやられない
——随分馬鹿にしてるわねえ
うたひ歩いた揚句の果は
空が白むで、夏の暁《あけ》だと
まるでキリガミ細工ぢやないか
昼間《ひるま》は毎日あんなに暑いに
まるでぺちやんこぢやあないか

詩人は辛い

私はもう歌なぞ歌はない
誰が歌なぞ歌ふものか
みんな歌なぞ聴いてはゐない
聴いてるやうなふりだけはする
みんなたゞ冷たい心を持つてゐて
歌なぞどうだつたつてかまはないのだ
それなのに聴いてるやうなふりはする
そして盛んに拍手を送る
拍手を送るからもう一つ歌はうとすると

もう沢山といつた顔
私はもう歌なぞ歌はない
こんな御都合な世の中に歌なぞ歌はない

―一九三五・九・一九―

童　女

眠れよ、眠れ、よい心、
おまへの肌へは、花粉だよ。
飛行機虫の夢をみよ、
クリンベルトの夢をみよ。

眠れよ、眠れ、よい心、
おまへの眼《まなこ》は、昆蟲《（こんちゆう）》だ。

皮肉ありげな生意気な、
奴等の顔のみえぬひま、

眠れよ、眠れ、よい心、
飛行機虫の、夢をみよ。

深更

あゝあ、こんなに、疲れてしまつた……
——しづかに、夜《よる》の、沈黙《しじま》の中に、
揺るとしもないカーテンの前——

煙草喫ふより能もないのだ。

揺るとしもないカーテンの前、
過ぎにし月日の記憶も失せて、
都会も眠る、この夜さ一と夜、
我や、覚めたる……動かぬ心！

机の上なる、物々の影、
覚めたるわが目に、うつるは汝《なれ》等か？
我や、汝《なれ》等を、見るにもあらぬに、
机の上なる、物々の影。

おもはせぶりなる、それな姿態や、
これな、かなしいわが身のはてや、
夜空は、暗く、霧《(けむ)》りて、高く、
時計の、音のみ、沈黙《しじま》を破り。

白紙《ブランク》

書物は、書物の在る処。
インキは、インキの在る処。

　私は、何にも驚かぬ。
　却《かえつ》て、物が私に驚く。

私はもはや、眠くはならぬ。
私の背後に、夜空は彳《た》つてる。

　書物は、書物の在る処。
　インキは、インキの在る処。

しづかに、しづかに、夜はくだち、

得知れぬ、悩みに、私は眠らぬ。
　書物は、書物の在る処。
　インキは、インキの在る処。

倦怠

へとへとの、わたしの肉体《からだ》よ、
まだ、それでも希望があるといふのか？
(洗ひざらした石の上《へ》に、
今日も日が照る、午後の日射しよ！)

市民館の狭い空地《あきち》で、
子供は遊ぶ、フットボールよ。

子供のジャケツはひどく安物、
それに夕陽はあたるのだ。

へとへとの、わたしの肉体《からだ》よ、
まだ、それでも希望があるといふのか？
（オヤ、お隣りでは、ソプラノの稽古、
たまらなく、可笑《おか》しくなるがいいものか？）
オルガンよ！　混凝土《コンクリート》の上なる砂粒《きりふ》よ！
放課後の小学校よ！　下駄箱よ！
おお君等聖なるものの上に、
——僕は夕陽を拝みましたよ！

夢

一夜　鉄扉《かねど》の　隙より　見れば、
海は　轟《とどろ》き、浪は　躍り、
私の　髪毛の　なびくが　まゝに、
炎は　揺れた、炎は　消えた。

私は　その燭《ひ》の　消ゆるが　直前《まへ》に
黒い　浪間に　小児と　母の、
白い　腕《かひな》の　踠《もが》けるを　見た。
その　きえぎえの　声さへ　聞いた。

一夜　鉄扉の　隙より　見れば、
海は　轟き、浪は　躍り、
私の　髪毛の　なびくが　まゝに、
炎は　揺れた、炎は　消えた。

秋を呼ぶ雨

1

畳の上に、灰は撒《ま》き散らされてあつたのです。
僕はその中に、蹲《うずく》まつたり、坐つたり、寝ころんだりしてゐたのです。
秋を告げる雨は、夜明け前に降り出して、
窓が白む頃、鶏の声はそのどしやぶりの中に起つたのです。

僕は遠い海の上で、警笛を鳴らしてゐる船を思ひ出したりするのでした。
その煙突は白く、太くつて、傾いてゐて、
ふてぶてしくもまた、可憐なものに思へるのでした。
沖の方の空は、煙つてゐて見えないで。

僕はもうへとへとなつて、何一つしようともしませんでした。
純心な恋物語を読みながら、僕は自分に訊《たず》ねるのでした、もしかばかりの愛を享《う》けたら、自分も再び元気になるだらうか？

かばかりの女の純情を享けたならば、自分にもまた希望は返つて来るだらうか？
然し……と僕は思ふのでした、おまへはもう女の愛にも動きはしまい、
おまへはもう、此の世のたよりなさに、いやといふ程やつつけられて了《しま》つたのだ！

2

弾力も何も失くなつたこのやうな思ひは、
それを告白してみたところで、つまらないものでした。
それを告白したからとて、さつぱりするといふやうなこともない、
それ程までに自分の生存はもう、けがらはしいものになつてゐたのです。

それが嘗《かつ》て欺かれたことの、私に残した灰燼《かいじん》のせゐだと決つたところで、
僕はその欺かれたことを、思ひ出しても、はや憤りさへしなかつたのです。
僕はたゞ淋しさと怖れとを胸に抱いて、
灰の撒き散らされた薄明の部屋の中にゐるのでした。
そしてたゞ時々一寸《ちよつと》、こんなことを思ひ出すのでした。

それにしてもやさしくて、理不尽でだけはない自分の心には、
雨だつて、もう少しは怡《たの》しく響いたつてよからう………

それなのに、自分の心は、索然と最後の壁の無味を嘗《な》め、
死なうかと考へてみることもなく、いやはやなんとも
隠鬱なその日その日を、糊塗してゐるにすぎないのでした。

3

トタンは雨に洗はれて、裏店の逞しいおかみを想はせたりしました。
それは酸つぱく、つるつるとして、尤《もつと》も、意地悪でだけはないのでした。
雨はそのおかみのうちの、箒《ほうき》のやうに、だらだらと降続きました。
雨はだらだらと、だらだらと、だらだらと降続きました。

瓦は不平さうでありました、含まれるだけの雨を含んで、
それは怒り易い老地主の、不平にも似てをりました。
それにしてもそれは、持つて廻つた趣味なぞよりは、
傷み果てた私の心には、却《かえつ》て健康なものとして映るのでした。

もはや人の痼癖《かんぺき》なぞにも、まるで平気である程に僕は伸び朽ちてゐたのです。
尤も、嘘だけは癪《しやく》に障《さわ》るのでしたが………
人の性向を撰択するなぞといふこともう、
早朝のビル街のやうに、何か兇悪な逞しさとのみ思へるのでした。

――僕は伸びきつた、ゴムの話をしたのです。
だらだらと降る、微温の朝の雨の話を。
ひえびえと合羽《かつぱ》に降り、甲板《デッキ》に降る雨の話なら、
せめてもまだ、爽々《すがすが》しい思ひを抱かせるのに、なぞ思ひながら。

4

何処《どこ》まで続くのでせう、この長い一本道は。
嘗てはそれを、少しづつ片附けてゆくといふことは楽しみでした。
今や麦稈真田《ばつかんさなだ》を編むといふそのやうな楽しみも
残つてはゐない程、疲れてしまつてゐるのです。

眠れば悪夢をばかりみて、
もしそれを同情してくれる人があるとしても、

その人に、済まないと感ずるくらゐなものでした。
だつて、自分で諦めきつてゐるその一本道………。

つまり、あらゆる道徳《モラリテ》の影は、消えちまつてゐたのです。
墓石のやうに灰色に、雨をいくらでも吸ふその石のやうに、
だらだらとだらだらと、降続くこの不幸は、
もうやむものとも思へない、秋告げるこの朝の雨のやうに降るのでした。

5

僕の心が、あの精悍《せいかん》な人々を見ないやうにと、
そのやうな祈念をしながら、僕は傘さして雨の中を歩いてゐた。

はるかぜ

あゝ、家が建つ家が建つ。
僕の家ではないけれど。
　空は曇つてはなぐもり、
風のすこしく荒い日に。

あゝ、家が建つ家が建つ。
僕の家ではないけれど。
　部屋にゐるのは憂鬱で、
出掛けるあてもみつからぬ。

あゝ、家が建つ家が建つ。
僕の家ではないけれど。
　鉋《かんな》の音は春風に、

散って名残はとめませぬ。
風吹く今日の春の日に、
あゝ、家が建つ家が建つ。

漂々と口笛吹いて

漂々と　口笛吹いて　地平の辺《べ》
　歩き廻るは……
一枝の　ポプラを肩に　ゆさゆさと
葉を翻《ひるが》へし　歩き廻るは
褐色《かちいろ》の　海賊帽子　ひよろひよろの
ズボンを穿《は》いて　地平の辺

森のこちらを　すれすれに
目立たぬやうに　歩いてゐるのは
あれは　なんだ？　あれは　なんだ？
あれは　単なる呑気者か？
それともあれは　横著者《わうちやくもの》か？
あれは　なんだ？　あれは　なんだ？

地平のあたりを口笛吹いて
ああして呑気に歩いてゆくのは
ポプラを肩に葉を翻へし
ああして呑気に歩いてゆくのは
弱げにみえて横著さうで
さりとて別に悪意もないのは

あれはサ　秋サ　たゞなんとなく
おまへの　意欲を　嗤《わら》ひに　来たのサ
あんまり　あんまり　たゞなんとなく

嗤ひに　来たのサ　おまへの　意欲を

嗤ふことさへよしてもいいと
やがてもあいつが思ふ頃には
嗤ふことさへよしてしまへと
やがてもあいつがひきとるときには

冬が来るのサ　冬が　冬が
野分《のわき》の色の　冬が　来るのサ

現代と詩人

何を読んでみても、何を聞いてみても、
もはや世の中の見定めはつかぬ。

私は詩を読み、詩を書くだけのことだ。
だつてそれだけが、私にとつては「充実」なのだから。

――そんなの古いよ、といふ人がある。
しかしさういふ人が格別新しいことをしてゐるわけでもなく、
それに、詩人は詩を書いてゐれば、
それは、それでいいのだと考ふべきものはある。

とはいへそれだけでは、自分でも何か物足りない。
その気持は今や、ひどく身近かに感じられるのだが、
さればといつてその正体が、シカと摑《つか》めたこともない。
私はそれを、好加減《いいかげん》に推量したりはしまい。
それがハツキリ分る時まで、現に可能な「充実」にとどまらう。
それまで私は、此処《ここ》を動くまい。それまで私は、此処を動かぬ。

2

われわれのゐる所は暗い、真ッ暗闇だ。

われわれはもはや希望を持つてはゐない、持たうがものはないのだ。
さて希望を失つた人間の考へが、どんなものだか君は知つてるか？
それははや考へとさへ謂《い》へない、ただゴミゴミとしたものなんだ。

私は古き代の、英国の春をかんがへる、春の訪れをかんがへる。
私は中世独逸《ドイツ》の、旅行の様子をかんがへる、旅行家の貌《かほ》をかんがへる。
私は十八世紀フランスの、文人同志の、田園の寓居への訪問をかんがへる。
さんさんと降りそそぐ陽光の中で、戸口に近く据えられた食卓のことをかんがへる。
私は死んでいつた人々のことをかんがへる、――（嘗《かつ》ては彼等も地上にゐたんだ）。
私は私の小学時代のことをかんがへる、その校庭の、雨の日のことをかんがへる。
それらは、思ひ出した瞬間突嗟《とつさ》になつかしく、
しかし、あんまりすぐ消えてゆく。

今晩は、また雨だ。小笠原沖には、低気圧があるんださうな。
小笠原沖も、鹿児島半島も、行つたことがあるやうな気がする。
世界の何処《どこ》だつて、行つたことがあるやうな気がする。
地勢と産物くらゐを聞けば、何処だつてみんな分るやうな気がする。

さあさあ僕は、詩集を読まう。フランスの詩は、なかなかいいよ。鋭敏で、確実で、親しみがあつて、とても、当今日本の雑誌の牽強附会《けんきようふかい》の、陳列みたいなものぢやない。それで心の全部が充されぬまでも、サッパリとした、カタルシスなら遂行されて、ほのぼのと、心の明るむ喜びはある。

郵便局

私は今日郵便局のやうな、ガランとした所で遊んで来たい。それは今日のお午《ひる》からが小春日和で、私が今欲してゐるものといつたらみたところ冷たさうな、板の厚い卓子《テーブル》と、シガーだけであるから。おおそれから、最も単純なことを、毎日繰返してゐる局員の横顔！——それをしばらくみてゐたら、きつと私だつて「何かお手伝ひがあれば」と、一寸《ちよつと》口からシガーを外して云つてみる位な気軽な気持になるだらう。局員がクスリと笑ひながら、でも忙しさうに、言葉をかけた私の方を見向きもしないで事務を取りつづけてゐたら、そしたら私は安心して自分の椅子に返つて来て、向うの壁の高い所にある、ストーブの煙突孔でも眺めながら、椅子の背にどつかと背中を押し付けて、二服ほどは特別ゆつくり吹かせばよいのである。

すつかり好い気持になつてる中に、日暮は近づくだらうし、ポケットのシガーも尽きよう。局員等の、機械的な表情も段々に薄らぐだらう。彼等の頭の中に各々《めいめい》の家の夕飯仕度の有様が、知らず知らずに湧き出すであらうから。

さあ彼等の他方見《よそみ》が始まる。そこで私は帰らざなるまい。

帰つてから今日の日の疲れを、ジックリと覚えなければならない私は、わが部屋とわが机に対し、わが部屋わが机特有の厭悪(えんお)をも覚えねばなるまい……。ああ、何か好い方法はないか?――さうだ、手をお医者さんの手のやうにまで、浅い白い洗面器で洗ひ、それからカフスを取換へること!

それから、暖簾《のれん》に夕風のあたるところを胸に浮べながら、食堂に行くとするであらう……

幻想

草には風が吹いてゐた。

出来たてのその郊外の駅の前には、地均機械《ローラー・エンジン》が放り出されてあつた。そのそばには
アブラハム・リンカン氏が一人立つてゐて、手帳を出して何か書き付けてゐる。

(夕陽に背を向けて野の道を散歩することは淋しいことだ。)

「リンカンさん」、私は彼に話しかけに近づいた。

「リンカンさん」

「なんですか」

私は彼のチョッキやチョッキの釦《ボタン》や胸のあたりを見た。

「リンカンさん」

「なんですか」

やがてリンカン氏は、私がひとなつつこさのほか、何にも持合はぬのであることを
みてとつた。

リンカン氏は駅から一寸行つた処の、畑の中の一瓢亭《ひようてい》に私を伴つた。

我々はそこでビールを飲んだ。

夜が来ると窓から一つの星がみえた。

女給が去り、コックが寝、さて此の家には私達二人だけが残されたやうであつた。すつかり夜が更けると、大地は、此の瓢亭が載つかつてゐる地所だけを残して、すつかり陥没してしまつてゐた。

帰る術《すべ》もないので私達二人は、今夜一夜を此処に過ごさうといふことになつた。

私は心配であつた。

しかしリンカン氏は、私の顔を見て微笑《ほほえ》むでゐた、「大丈夫《ダイジョブ》ですよ」

毛布も何もないので、私は先刻から消えてゐたストーブを焚付けておいてから寝ようと思つたのだが、十能も火箸もあるのに焚付《たきつけ》がない。万事諦めて私とリンカン氏とは、卓子《テーブル》を中に向き合つて、頬肘《ほおひじ》をついたまゝで眠らうとしてゐた。電燈は全く明るく、残されたビール瓶の上に光つてゐた。

目が覚めたのは八時であつた。空は晴れ、大地はすつかり旧に復し、野はレモンの色に明《あか》つてゐた。

コックは、バケツを提げたまま裏口に立つて誰かと何か話してゐた。女給は我々から三米《メートル》ばかりの所に、片足浮かして我々を見守つてゐた。

「リンカンさん」

「なんですか」

「エヤアメールが揚つてゐます」

「ほんとに」

かなしみ

白き敷布のかなしさよ夏の朝明け、なほ仄暗《ほのぐら》い一室に、時計の音《おと》のしじにする。

目覚めたは僕の心の悲しみか、世に慾呆《よくぼ》けといふけれど、夢もなく手仕事もなく、
何事もなくたゞ沈湎《ちんめん》の一色に打続く僕の心は、悲しみ呆けといふべきもの。

人笑ひ、人は囁き、人色々に言ふけれど、青い卵か僕の心、何かかはらうすべもなく、朝空よ！　汝《なれ》は知る僕の眼《まなこ》の一瞥《いちべつ》を。フリュートよ、汝《なれ》は知る、僕の心の悲しみを。

朝の巷《ちまた》や物音は、人の言葉は、真白き時計の文字板に、いたづらにわけの分らぬ条《すぢ》を引く。

半ば困乱しながらに、瞶る私の聴官よ、泌みるごと物を覚えて、人竝に物え覚えぬ不安さよ、悲しみばかり藍《あい》の色、ほそぼそとながながと朝の野辺空の涯《はて》まで、うちつづくこの悲しみの、なつかしくはては不安に、幼な児ばかりいとほしくして、はやいかな生計《なりはひ》の力もあらず此の朝け、祈る祈りは朝空よ、野辺の草露、汝等《なれら》呼ぶ淡《あは》き声のみ、咽喉《のど》もとにかそかに消ゆる。

北沢風景

夕べが来ると僕は、台所の入口の敷居の上で、使ひ残りのキャベツを軽く、鉋丁《ほうちょう》の腹で叩いてみたりするのだつた。

台所の入口からは、北東の空が見られた。まだ昼の明りを残した空は、此処《ここ》台所から四五丁の彼方《かなた》に、すすきの叢《むら》があることも小川のあることも思ひ出させはせぬのであつた。

——嘗《かつ》て思索したといふこと、嘗て人前で元気であつたといふこと、そして今も希望はあり、そして今は台所の入口から空を見てゐるだけだといふこと、車を挽いて百姓はさもジックリと通るのだし、――着物を着換へて市内へ向けて、出掛けることは臆怯《おつくう》であるし、近くのカフェーには汚れた卓布と、飾鏡《かざりかゞみ》とボロ蓄音器、要するに腎臓疲弊に資する所のものがあるのであるし、感性過剰の斯《かく》の如き夕べには、これから落付いて、研鑽にいそしむことも難いのであるし、隣家の若い妻君は、甘ッたれ声を出すのであるし、……

僕は出掛けた。僕は酒場にゐた。僕はしたたかに酒をあほつた。翌日は、おかげで空が真空だつた。真空の空に鳥が飛んだ。

扨《さて》、悔恨とや……十一月の午後三時、空に揚つた凧《たこ》ではないか？　扨、昨日《きんのふ》の夕べとや、鴫《しぎ》が鳴いてたといふことではないか？

或る夜の幻想（1・3）

1　彼女の部屋

彼女には
美しい洋服簞笥《ようふくだんす》があつた
その簞笥は
かはたれどきの色をしてゐた

彼女には
書物や
其《そ》の他色々のものもあつた
が、どれもその簞笥に比べては美しくもなかつたので
彼女の部屋には簞笥だけがあつた

それで洋服簞笥の中は

本でいつぱいだつた

3　彼　女

野原の一隅には杉林があつた。
なかの一本がわけても聳《（そび）》えてゐた。

或る日彼女はそれにのぼつた。
下りて来るのは大変なことだつた。

それでも彼女は、媚態《（びたい）》を棄てなかつた。
一つ一つの挙動は、まことみごとなうねりであつた。

　夢の中で、彼女の臍《おへそ》は、
背中にあつた。

聞こえぬ悲鳴

悲しい　夜更が　訪れて
菫《すみれ》の　花が　腐れる　時に
神様　僕は　何を想出したらよいんでしよ？
痩せた　大きな　露西亜の婦《をんな》？
彼女の　手ですか？　それとも横顔？
それとも　ぼやけた　フイルム　ですか？
それとも前世紀の　海の夜明け？

あゝ　悲しい！　悲しい……
神様　あんまり　これでは　悲しい
疲れ　疲れた　僕の心に……
いつたい　何が　想ひ出せましよ？

悲しい　夜更は　腐つた花弁《はなびら》——
　嚙んでも　嚙んでも　歯《は》跡《あと》もつかぬ
　それで　いつまで　嚙んではゐたら
　しらじらじらと　夜は明けた

——一九三五、四——

道修山夜曲

星の降るよな夜《よる》でした
松の林のその中に、
僕は蹲《しやが》んでをりました。
星の明りに照らされて

折しも通るあの汽車は、
今夜何処《どこ》までゆくのやら。

松には今夜風もなく
土はジツトリ湿つてる。
遠く近くの笹の葉も
しづもりかへつてゐるばかり。

星の降るよな夜でした、
松の林のその中に
僕は蹲んでをりました。

——一九三七、二、二——

ひからびた心

ひからびたおれの心は
そこに小鳥がきて啼き
其処《(そこ)》に小鳥が巣を作り
卵を生むに適してゐた

ひからびたおれの心は
小さなものの心の動きと
握ればつぶれてしまひさうなものの動きを
　掌《てのひら》に感じてゐる必要があつた

ひからびたおれの心は
贅沢《(ぜいたく)》にもそのやうなものを要求し
贅沢にもそのやうなものを所持したために

小さきものにはまことすまないと思ふのであつた

ひからびたおれの心は
それゆゑに何はさて謙譲であり
小さきものをいとほしみいとほしみ
むしろその暴戻《ぼうれい》を快いこととするのであつた

そして私はえたいの知れない悲しみの日を味つたのだが
小さきものはやがて大きくなり
自分の幼時を忘れてしまひ
大きなものは次第に老いて

やがて死にゆくものであるから
季節は移りかはりゆくから
ひからびたおれの心は
ひからびた上にもひからびていつて

ひからびてひからびてひからびてひからびて

——いつそ干《ひ》割《わ》れてしまへたら
無の中へ飛び行つて
そこで案外安楽に暮せらるのかも知れぬと思つた

雨の朝

⦅麦湯は麦を、よく焦がした方がいいよ。⦆
⦅毎日々々、よく降りますですねえ。⦆
⦅インキはインキを、使つたらあと、栓《(せん)》をしとかなけあいけない。⦆
⦅ハイ、皆さん大きい声で、一々《いんいち》が一《いち》……⦆
　　上草履は冷え、
　バケツは雀の声を追想し、
　　雨は沛然《(はいぜん)》と降つてゐる。
⦅ハイ、皆さん御一緒に、一二《いんに》が二《に》……⦆

校庭は煙雨《けぶ》つてゐる。
――どうして学校といふものはこんなに静かなんだらう？
――家《うち》ではお饅ぢうが蒸《ふ》かせただらうか？
ああ、今頃もう、家ではお饅ぢうが蒸かせただらうか？

子守唄よ

母親はひと晩ぢう、子守唄をうたふ
母親はひと晩ぢう、子守唄をうたふ
然しその声は、どうなるのだらう？
たしかにその声は、海越えてゆくだらう？
暗い海を、船もゐる夜の海を
そして、その声を聴届けるのは誰だらう？
それは誰か、ゐるにはゐると思ふけれど

しかしその声は、途中で消えはしないだらうか？
たとへ浪は荒くはなくともたとへ風はひどくはなくとも
その声は、途中で消えはしないだらうか？

母親はひと晩ぢう、子守唄をうたふ
母親はひと晩ぢう、子守唄をうたふ
淋しい人の世の中に、それを聴くのは誰だらう？
淋しい人の世の中に、それを聴くのは誰だらう？

渓流

渓流《たにがは》で冷やされたビールは、
青春のやうに悲しかつた。
峰を仰いで僕は、

泣き入るやうに飲んだ。
ビショビショに濡れて、とれさうになつてゐるレッテルも、
青春のやうに悲しかつた。
しかしみんなは、「実にいい」とばかり云つた。
僕も実は、さう云つたのだが。

湿つた苔も泡立つ水も、
日蔭も岩も悲しかつた。
やがてみんなは飲む手をやめた。
ビールはまだ、渓流《たにがは》の中で冷やされてゐた。

水を透かして瓶の肌へをみてゐると、
僕はもう、此の上歩きたいなぞとは思はなかつた。
独り失敬して、宿に行つて、
女中《ねえさん》と話をした。

（一九三七・七・一五）

梅雨と弟

毎日々々雨が降ります
去年の今頃梅の実を持つて遊んだ弟は
去年の秋に亡くなつて
今年の梅雨《つゆ》にはゐませんのです

お母さまが　おつしやいました
また今年も梅酒をこさはうね
そしたらまた来年の夏も飲物があるからね
あたしはお答へしませんでした
弟のことを思ひ出してゐましたので

去年梅酒をこしらふ時には
あたしがお手伝ひしてゐますと

弟が来て梅を放《ほ》つたり随分と邪魔をしました
あたしはにらんでやりましたが
あんなことをしなければよかつたと
今ではそれを悔んでをります……

道化の臨終(Etude Dadaistique)

序　曲

君ら想はないか、夜毎何処《どこ》かの海の沖に、
火を吹く龍がゐるかもしれぬと。
君ら想はないか、曠野《こうや》の果に、
夜毎姉妹の灯ともしてゐると。

君等想はないか、永遠の夜《よる》の浪、

其処《(そこ)》に泣く無形《むぎやう》の生物《いきもの》、
其処に見開く無形《むぎやう》の瞳、
かの、かにかくに底の底……

心をゆすり、ときめかし、
嗚咽《(おえつ)》・哄笑一時《いつとき》に、肝に銘じて到るもの、
清浄こよなき漆黒のもの、
暖《だん》を忘れぬ紺碧《(こんぺき)》を……

＊　＊　＊

空の下《もと》には　池があつた。
その池の　めぐりに花は　咲きゆらぎ、
空はかほりと　はるけくて、
今年も春は　土肥やし、
雲雀《(ひばり)》は空に　舞ひのぼり、
小児が池に　落つこつた。

小児は池に　仰向《(あおむ)》けに、
池の縁《ふち》をば　枕にて、
あわあわあわと　吃驚《びっくり》し、
空もみないで　泣きだした。

僕の心は　残酷な、
僕の心は　優婉《(ゆうえん)》な、
僕の心は　優婉な、
僕の心は　残酷な、
涙も流さず　僕は泣き、
空に旋毛《つむじ》を　見せながら、
紫色に　泣きまする。

僕には何も　云はれない。
発言不能の　境界に、
僕は日も夜も　肘《(ひじ)》ついて、
僕は砂粒に　照る日影だの、

風に揺られる　雑草を、
ジッと瞶《(みつ)》めて　をりました。

どうぞ皆さん僕といふ、
はてなくやさしい　痴呆症、
抑揚の神の　母無《おやな》し子《ご》、
岬の浜の不死身貝、
そのほか色々　名はあれど、
命題・反対命題の、
能《(あた)》ふかぎりの　止揚場《しやうぢやう》、
天《あめ》が下なる「衛生無害」、
昔ながらの薔薇《(ばら)》の花、
ばかげたものでも　ござりませうが、
大目にあづかる　為体《ていたらく》。

かく申しまする　所以《(ゆえん)》のものは、
泣くも笑ふも　朝露の命、
星のうちなる　星の星……

砂のうちなる　砂の砂……
どうやら舌は　縺《もつ》れまするが、
浮くも沈むも　波間の瓢《ひさご》、
格別何も　いりませぬ故、
笛のうちなる　笛の笛、
――次第に舌は　縺れてまゐる――
至上至福の　臨終《いまは》の時を、
いやいや　なんといはうかい、
一番お世話になりながら、
一番忘れてゐられるもの……
あの　あれを……といつて、
それでは誰方《どなた》も　お分りがない……
では　忘恩悔ゆる涙とか？
え ゝまあ　それでもござりまするが……
では――
えイ、じれつたや
これやこの、ゆくもかへるも
別れては、消ゆる移り香、

追ひまはし、くたびれて、
秋の夜更に　目が覚めて、
天井板の　木理《もくめ》みて、
あなやと叫び　呆然《（ぼうぜん）》と……
さて　われに返りはするものの、
野辺の草葉に　盗賊の、
疲れて眠る　その腰に、
隠元豆の　刀あり、
これやこの　切れるぞえ、
と　戸の面《おもて》、丹下左膳がこつち向き、
——狂つた心としたことが、
何を云ひ出すことぢややら……
さはさりながら　さらばとて、
正気の構へを　とりもどし、
人よ汝《いまし》が「永遠」を、
恋することのなかりせば、
シネマみたとてドツコイショのショ、
ダンスしたとてドツコイショのショ。

なぞと云つたら　笑はれて、
ささも聴いては　貰へない、
されぱわれ、明日は死ぬ身の、
今茲《ここ》に　不得要領……
かにかくに　書付けましたる、
ほんのこれ、心の片端《はしくれ》、
不備の点　恕《ゆる》され給ひて、
希《ねが》はくは　お道化《どけ》お道化て、
ながらへし　小者にはあれ、
冥福の　多かれかしと、
神にはも　祈らせ給へ。

（一九三四・六・二）

夏

僕は卓子《テーブル》の上に、
ペンとインキと原稿紙のほかなんにも載せないで、
毎日々々、いつまでもジッとしてゐた。

いや、そのほかにマッチと煙草と、
吸取紙くらゐは載つかつてゐた。
いや、時とするとビールを持つて来て、
飲んでゐることもあつた。

戸外《そと》では蟬がミンミン鳴いた。
風は岩にあたつて、ひんやりしたのがよく吹込んだ。
思ひなく、日なく月なく時は過ぎ、

とある朝、僕は死んでゐた。
卓子《テーブル》に載つかつてゐたわづかの品は、
やがて女中によつて瞬く間に片附けられた。
——さつぱりとした。さつぱりとした。

初夏の夜に

オヤ、蚊が鳴いてる、またもう夏か——
死んだ子供等は、彼《あ》の世の磧《かわら》から、此の世の僕等を看守《みまも》つてるんだ。
彼の世の磧は何時でも初夏の夜、どうしても僕はさう想へるんだ。
行かうとしたつて、行かれはしないが、あんまり遠くでもなささうぢやないか。
窓の彼方《かなた》の、笹藪の此方《こちら》の、月のない初夏の宵の、空間……其処《そこ》に、
死児等は茫然、佇《たたず》み僕等を見てるが、何にも咎《とが》めはしない。
罪のない奴等が、咎めもせぬから、こつちは尚更、辛いこつた。

いつそほんとは、奴等に棒を与へ、なぐつて貰ひたいくらゐのもんだ。
それにしてもだ、奴等の中にも、十歳もゐれば、三歳もゐる。
奴等の間にも、競走心が、あるかどうか僕は全然知らぬが、
あるとしたらだ、何《いず》れにしてもが、やさしい奴等のことではあつても、
三歳の奴等は、十歳の奴等より、たしかに可哀想と僕は思ふ。
なにさま暗い、あの世の磧の、ことであるから小さい奴等は、
大きい奴等の、腕の下をば、すりぬけてどうにか、遊ぶとは想ふけれど、
それにしてもが、三歳の奴等は、十歳の奴等より、可哀想だ……
――オヤ、蚊が鳴いてる、またもう夏か……

（一九三七・五・一四）

夏日静閑

暑い日が毎日つづいた。

隣りのお嫁入前のお嬢さんの、
ピアノは毎日聞こえてゐた。
友達はみんな避暑地に出掛け、
僕だけが町に残つてゐた。

撒水車が陽に輝いて通るほか、
日中は人通りさへ殆《ほと》んど絶えた。
たまに通る自動車の中には
用務ありげな白服の紳士が乗つてゐた。
みんな僕とは関係がない。
偶々《たまたま》買物に這入《はい》つた店でも
怪訝《けげん》な顔をされるのだつた。

こんな暑さに、おまへはまた
何条買ひに来たものだ？
店々の暖簾《のれん》やビラが、
あるとしもない風に揺れ、
写真屋のショウキンドーには
いつもながらの女の写真《かほ》。

一九三七、八、五

未発表詩篇

ダダ手帖（一九二三年―一九二四年）

タバコとマントの恋

タバコとマントが恋をした
その筈だ
タバコとマントは同類で
タバコが男でマントが女だ
或時二人が身投心中したが
マントは重いが風を含み
タバコは細いが軽かつたので
崖の上から海面に
到着するまでの時間が同じだつた

神様がそれをみて
全く相対界のノーマル事件だといつて
天国でビラマイタ
二人がそれをみて
お互の幸福であつたことを知つた時
恋は永久に破れてしまつた。

ダダ音楽の歌詞

ウハキはハミガキ
ウハバミはウロコ
太陽が落ちて
太陽の世界が始つた
テツポーは戸袋

ヒョータンはキンチャク
太陽が上つて
夜の世界が始つた

オハグロは妖怪
下痢はトブクロ
レイメイと日暮が直径を描いて
ダダの世界が始つた

（それを釈迦が眺めて
それをキリストが感心する）

ノート1924（一九二四年―一九二八年）

春の日の怒

田の中にテニスコートがありますかい？
春風です
よろこびやがれ凡俗！
名詞の換言で日が暮れよう
アスファルトの上は凡人がゆく
顔　顔　顔
石版刷のポスターに
木履の音は這ひ込まう

恋の後悔

正直過ぎては不可《いけ》ません
親切過ぎては不可ません
女を御覧なさい
正直過ぎ親切過ぎて
男を何時も苦しめます

だが女から
正直にみえ親切にみえた男は
最も偉いエゴイストでした

思想と行為が弾劾し合ひ
智情意の三分法がウソになり
カンテラの灯と酒宴との間に
人の心がさ迷ひます

あゝ恋が形とならない前
その時失恋をしとけばよかつたのです

不可入性

自分の感情に自分で作用される奴は
なんとまあ　伽藍なんだ
欲しくても
取つてはならぬ気もあります
好きと嫌ひで生きてゐる女には
一番明白なものが一番漠然たるものでした
空想は植物性です
女は空想なんです
女の一生は空想と現実との間隙《かんげき》の弁解で一杯です

取れといふ時は植物的な萎縮をし
取らなくても好いといへば煩悶し
取るなといへば闘牛師の夫を夢みます
それから次の日の夕方に何といひました
「あなたはあたしを理解して呉《く》れないからいや……」
それから男の返事は如何《どう》でした
「兎《と》に角《かく》俺には何にも分らないよ——
もつとお前盲目になつて呉れ……」
「盲目《メクラ》になつて如何するの」
「お前は立場の立場を気付き過ぎる」
「あゝでもあなたこそ理窟をやめて、盲目におなんなさい」
「俺等の話は毎日同しことだ」
「もう変りますまいよ」
「そして出来あがつた話が何時までも消えずに、今後の生活を束縛するだらうよ。殊に女には今日の表現が明日の存在になるんだ。そしてヒステリーは現実よりも表現を名称を吟味したがるんだ。兎に角おまへを反省させた俺が悪かつた」
「だつてあなたにはあたしが反省するやうな話をしかけずにはゐられなかつたんです」

「黙つてればよかつた」
「やつぱり何時かは別れることを日に日により意識しながら、もうそのあとは時間に
頼むばかりです」
「恋の世界で人間は
みんな
無縁の衆生となる」
無縁の衆生も時間には運ばれる
音楽にでも泣きつき給へ
音楽は空間の世界だけのものだと僕は信じます
恋はその実音楽なんです
けれども時間を着けた音楽でした
これでも意志を叫ぶ奴がありますか!
だつて君そこに浮気があります
浮気は悲しい音楽をヒヨッと
忘れさせること度々です
空　空　空
やつぱり壁は土で造つたものでした。

（天才が一度恋をすると）

天才が一度恋をすると
思惟の対象がみんな恋人になります。
御覧なさい
天才は彼の自叙伝を急ぎさうなものに
恋愛伝の方を先に書きました

（風船玉の衝突）

風船玉の衝突
立て膝
　立て膝

スナアソビ
心よ！
幼き日を忘れよ！

煉瓦塀に春を発見した
福助人形の影法師
孤児の下駄が置き忘れてありました
公園の入口
ペンキのはげた立札

心よ！
詩人は着物のスソを
狂犬病にクヒチギられたが……！

自滅

親の手紙が泡吹いた
恋は空みた肩揺つた
俺は灰色のステッキを呑んだ

足
足
足
足
足
足

万年筆の徒歩旅行
電信棒よ御辞儀しろ
お腹《ナカ》の皮がカシヤカシヤする
胯《(また)》の下から右手みた
一切合切《(いっさいがっさい)》みんな下駄

フイゴよフイゴよ口をきけ
土橋の上で胸打つた
ヒネモノだからおまけ致します

（あなたが生れたその日に）

あなたが生れたその日に
ぼくはまだ生れてゐなかつた

途中下車して
無効になつた切符が
古洋服のカクシから出て来た時
恐らく僕は生れた日といふもの

倦怠に握られた男

俺は、俺の脚だけはなして
脚だけ歩くのをみてゐよう——
灰色の、セメント菓子を嚙みながら
風呂屋の多いみちをさまよへ——
流しの上で、茶碗と皿は喜ぶに
俺はかうまで三和土《タタキ》の土だ——

倦怠者の持つ意志

タタミの目
時計の音
一切が地に落ちた

だが圧力はありません

舌がアレました
ヘソを凝視《みつ》めます
一切がニガミを帯びました
だが反作用はありません

此の時
夏の日の海が現はれる！
思想と体が一緒に前進する
努力した意志ではないからです

初恋

最も弱いものは

弱いもの――
最も強いものは
強いもの――

タバコの灰は
霧の不平――
燈心は
決闘――

最も弱いものが
最も強いものに――
タバコの灰が
燈心に――
霧の不平が
決闘に
嘗《かつ》てみえたことはありませんでしたか？
――それは初恋です

想像力の悲歌

恋を知らない
街上の
笑ひ者なる爺やんは
赤ちやけた
麦藁帽をアミダにかぶり
ハッハッハッ
「夢魔」てえことがあるものか
その日蝶々の落ちるのを
夕の風がみてゐました
思ひのほかでありました
恋だけは——恋だけは

古代土器の印象

認識以前に書かれた詩――
沙漠のたゞ中で
私は土人に訊《たず》ねました
「クリストの降誕した前日までに
カラカネの
歌を歌つて旅人が
何人こゝを通りましたか」
土人は何にも答へないで
遠い沙丘の上の
足跡をみてゐました

泣くも笑ふも此の時ぞ
此の時ぞ
泣くも笑ふも

初夏

扇子と香水——
君、新聞紙を絹風呂敷には包みましたか
夕の月が風に泳ぎます
アメリカの国旗とソーダ水とが
恋し始める頃ですね

情慾

何故取れない！
何故取れない！
電球よ暑くなれ！

冬の野原を夏の風が行くに

煙が去つた
情熱の火が突進する
ブッカルものもなく——
だから不可《いけ》ない

昔からあつたものだのに
今新たに起つたものだ
それを如何《どう》して呉《く》れるい
横から眺めてゐるな
誰の罪でもない
必要ぢやない
欲しいだけだ

迷つてゐます

筆が折れる
それ程足りた心があるか
だつて折れない筆がありますか？

聖書の綱が
性慾のコマを廻す

原始人の礼儀は
外界物に目も呉《く》れないで
目前のものだけを見ることでした

だがだが
現代文明が筆を生みました
筆は外界物です

現代人は目前のものに対するに
その筆を用ひました
発明して出来たものが不可《いけ》なかつたのです
だが好いとも言へますから——
僕は筆を折りませうか？
その儘《まま》にしときませうか？

春の夕暮

塗板《トタン》がセンベイ食べて
春の日の夕暮は静かです
アンダースロウされた灰が蒼ざめて
春の日の夕暮は穏かです

あゝ、案山子《かかし》はなきか——あるまい
馬嘶《いなな》くか——嘶きもしまい
たゞたゞ青色の月の光のノメランとするまゝに
従順なのは春の日の夕暮か

ポトホトと臘涙《ろうるい》に野の中の伽藍は赤く
荷馬車の車、油を失ひ
私が歴史的現在に物を言へば
嘲《あざけ》る嘲る空と山とが

瓦が一枚はぐれました
春の日の夕暮はこれから無言ながら
前進します
自らの静脈管の中へです

幼き恋の回顧

幼き恋は
寸燐《マッチ》の軸木
燃えてしまへば
あるまいものを

寐覚《ねざ》めの囁きは
燃えた燐だつた
また燃える時が
ありませうか

アルコールのやうな夕暮に
二人は再びあひました——
圧搾酸素でもてゝゐる
恋とはどんなものですか

その実今は平凡ですが
たつたこなひだ燃えた日の
印象が二人を一緒に引きずつてます
何の方へです――
ソーセーヂが
紫色に腐れました――
多分「話の種」の方へでせう

(題を附けるのが無理です)

トランプの占ひで
日が暮れました――
オランダ時計の罪悪です
喩《たと》へ話の上に出来た喩へ話――

誰です
法律ばかり研究してるのは

林檎の皮に灯が光る
そればかりみてゐても
金の時計が真鍮《しんちゅう》になりますぞ

寺院の壁にトンボがとまつた
それは好いが
あんまりいたづらは不可《いけ》ません

法則とともに歩く男
君のステッキは
何といふ緊張しすぎた物笑ひです

（何と物酷いのです）

何と物酷《ものすご》いのです
此の夜の海は
——天才の眉毛——
いくら原稿が売れなくとも
燈台番にはなり給ふな

あの白ッ、黒い空の空——
卓の上がせめてもです
読書くらゐ障《さまた》げられても好いが
書くだけは許して下さい

実質ばかりの世の中は淋しからうが
あまりにプロパガンダプロパガンダ……
だから御覧なさい

あんなに空は白黒くとも
あんなに海は黒くとも
そして――岩、岩、岩
だが中間が空虚です

（テンピにかけて）

テンピにかけて
焼いたろか
あんなヘナチョコ詩人の詩
百科辞典を引き廻し
鳥の名や花の名や
みたこともないそれなんか
ひつぱり出して書いたつて

——だがそれ程想像力があればね——
やい！
いつたい何が表現出来ました？
自棄《やけ》のない詩は
神の詩か
凡人の詩か
そのどつちかと僕が決めたげます

（仮定はないぞよ！）

仮定はないぞよ！
先天的観念もないぞよ！
何にもない所から組立てゝ行つて
先天的観念にも合致したがね

理窟が面倒になつたさ
屋根みたいなものさ
意識した親切は持たないがね

忠告する元気があれば
象牙の塔の修繕にまはさうさ
カウモリ傘にもたれてみてゐりやあ
人は真面目にくたびれずに
事業つて奴をやつて呉《く》れらあ
サンチマンタリズムに迎合しなきや
趣味の本質に叛《そむ》くかしらつてのが
まあまあ俺の問題といへば問題さ

（酒は誰でも酔はす）

酒は誰でも酔はす
だがどんな傑《すぐ》れた詩も
字の読めない人は酔はさない
——だからといつて
酒が詩の上だなんて考へる奴あ
「生活第一芸術第二」なんて言つてろい
自然が美しいといふことは
自然がカンヴァスの上でも美しいといふことかい——
そりや経験を否定したら
インタレスチングな詩は出来まいがね
——だが
「それを以てそれを現すべからず」つて言葉を覚えとけえ

科学が個々ばかりを考へて
文学が関係ばかりを考へ過ぎる
文士よ
せち辛い世の中をみるが好いが
その中に這入《はい》つちや不可《いけ》ない

（名詞の扱ひに）

名詞の扱ひに
ロヂックを忘れた象徴さ
俺の詩は

宣言と作品との関係は
有機的抽象と無機的具象との関係だ
物質名詞と印象との関係だ。

ダダ、つてんだよ
木馬、つてんだ
原始人のドモリ、でも好い

歴史は材料にはなるさ
だが問題にはならぬさ
此のダダイストには

古い作品の紹介者は
古代の棺はかういふ風だつた、なんて断り書きをする
棺の形が如何《いか》に変らうと
ダダイストが「棺」といへば
何時の時代でも「棺」として通る所に
ダダの永遠性がある
だがダダイストは、永遠性を望むが故にダダ詩を書きはせぬ

（酒）

酒
梅
原因が分りません
蜘蛛は五月雨《さみだれ》に逃げ場を失ひました
キセルを折れ
キセルを折れ
犬が骨を……
ヘン、何故です？

（最も純粋に意地悪い奴）

最も純粋に意地悪い奴。

私は悲劇をみて泣いたことはない
悲劇に遭遇したことのある自分を発見したゞけであつた。

やつぱり形式に於ても経験世界を肯定しなきや
万人の芸術品とは言へないのでせうか？

内容価値と技巧価値は対立してはゐませんよ。
問題となるのは技巧だけです。
内容は技巧以前のものです。
技巧を考慮する男は吃度《きっと》価値ある内容を持つてゐます。
天才以外の仕事ではないのが此の芸術ですね。

（バルザック）

バルザック
バルザック
腹の皮が収縮する
胃病は明治時代の病気《モノ》らしい
そんな退屈は嫌で嫌で

悟つたつて昂奮するさ
同時性が実在してたまるものか

空をみて
涙と仁丹
雨がまた降つて来る

（ダック　ドック　ダクン）

ダック　ドック　ダクン
チエン　ダン　デン
ピー……
フー……
ボドー……

弁当箱がぬくもる
工場の正午は
鉄の尖端で光が眠る

（古る摺れた）

古る摺《ず》れた
外国の絵端書――
唾液が余りに中性だ

雨あがりの街道を
歩いたが歩いたが
飴屋がめつからない

唯のセンチメントと思ひますか？
――額をみ給へ――
一度は神も客観してやりました
――不合理にも存在価値はありませうよ
だが不合理は僕につらい――
こんなに先端に速度のある

自棄　々々　々々
下駄の歯は
僕の重力を何といつて土に訴へます
「空は興味だが役に立たないことが淋しい
――精神の除外例にも物理現象に変化ない」
ガラスを舐《な》めて
蠅を気にかけぬ

一　度

結果から結果を作る
飜訳の悲哀――
尊崇はたゞ
道中にありました

再び巡る道は
「過去」と「現在」との沈黙の対坐です

一度別れた恋人と
またあたらしく恋を始めたが
思ひ出と未来での思ひ出が
ヲリと享楽との乱舞となりました

一度といふことの
嬉しさよ

（ツツケンドンに）

ツツケンドンに
女は言ひつぱなして出て行つた

襖《ふすま》の上に灰がみえる
眼窩《がんか》の顚倒
鳥の羽斜に空へ！……

対象の知れぬ寂しみ
神様はつまらぬものゝみをつくつた

盥《たらい》の底の残り水
古いゴムマリ
十能が棄てられました
雀の声は何といふ生唾液《ナマツバキ》だ！
雨はまだ降るだらうか、、、
インキ壺をのぞいてニブリ加減をみよう

（女）

女
吸取紙を早くかせ
恵まれぬものが何処《どこ》にある？
マッチの軸を小さく折つた

女
自分は道草かしら
女は摘草といふも勿体《もつたい》ないといつた
俺は女の目的を知らないのださうだ
原因なしの涙なんか出さないと自称する女から言はれた
飛行機の分裂
目的が山の端をとぶ
縫物

秘密がどんなに織り込まれたかしら
女は鋏を畳の上に出したまゝ
出て行つた

自分に理窟をつけずに
只管《ひたすら》 英雄崇拝
女は男より偉いのです

（頁　頁　頁）

頁　頁　頁
歴史と習慣と社界意識
名誉欲をくさして
名誉を得た男もありました

認識以前の徹定

土台は何時も性慾みたいなもの
上に築れたものゝ価値
十九世紀は土台だけをみて物言ひました
○×× ○××× ○×××
飴に皮がありますかい
女よ
ダダイストを愛せよ

（ダダイストが大砲だのに）

ダダイストが大砲だのに

女が電柱にもたれて泣いてゐました
リゾール石鹸を用意なさい
それでも遂に私は愛されません

女はダダイストを
普通の形式で愛し得ません
私は如何《どう》せ恋なんかの上では
概念の愛で結構だと思つてゐますに

白状します——
だけど余りに多面体のダダイストは
言葉が一面的なのでだから女に警戒されます
理解は悲哀です
概念形式を齎《もたら》しません

（概念が明白となれば）

概念が明白となれば
それの所産は観念でした

観念の恋愛とは
焼砂ですか
紙で包んで
棄てませう

馬鹿な美人
人間に倦きがなかつたら
彼岸の見えない川があつたら
反省は咏嘆を生むばかりです
自分と過去とを忘れて

他人と描ける自分との
恋をみつめて進むんだ

上手者なのに
何故結果が下手者になるのでせう
女よそれを追求して呉《(く)》れ

（成　程）

成程
共に発見することが楽しみなのか
さうか、それでは俺に恋は出来ない
お前を知る前既に
お前の今後発見することを発見しつくしてゐたから

一つの菓子を
二人とも好んではゐない
一人は大好きで一人が嫌ひです
菓子と二人との三角関係
菓子は嫌ひな一人からヤカレて仕合せ者だ

一番平凡なバランスの要求だのに
何故そのバランスが来ないのか

髪油の香が尚《なお》胸に残つてゐる
煙草の香が胸に残つてゐるかしら

蛙が鳴いて
一切がオーダンの悲哀だ

（過程に興味が存するばかりです）

過程に興味が存するばかりです
それで不可《いけ》ないと言ひますか
生活の中の恋が
原稿紙の中の芸術です

有限の中の無限は
最も有限なそれでした

君の頭髪を一本一本数へて
それから人にお告げなさい

テーマが先に立つといふ逆論は
アルファベットの芸術です

集積よりも流動が
魂は集積ではありません

（58号の電車で女郎買に行つた男が）

58号の電車で女郎買に行つた男が
梅毒になつた
彼は12の如き沈黙の男であつたに

腕
々
々
交通巡査には煩悶はないのか
自殺せぬ自殺の体験者は
障子に手を突込んで裏側からみてゐました
アカデミッシャンは予想の把持者なのに……
今日天からウヅラ豆が

畠の上に落ちてゐました

（汽車が聞える）

汽車が聞える
蓮華《れんげ》の上を渡つてだらうか

内的な刺戟《しげき》で筆を取るダダイストは
勿論《もちろん》サンチマンタルですよ。

（不随意筋のケンクワ）

不随意筋のケンクワ
ハイフェンの多い生活
△が○を描いて——
あゝスイミツトーが欲しい

旅

夕刊売
来てみれば此処《ここ》も人の世
散水車があるから

汽車の煙が麦食べた
実用を忘れて
歯ブラッシを買つてみた
青い紙ばかり欲しくて
それなのに唯物史観だつた

砂袋
スソがマクレます
パラソルを倒《さかさ》に持つものがありますか
浮袋が湿りました

呪咀

土橋の上で胸打つた
胯《また》の下から右手みた

黒い着物と痩せた腕
縁側の板に尻つけて
障子に手を突つ込んで裏側からみてゐる
闇の中では鏡だけが舌を光らす
一切が悲哀だつたが恋だけがまだ残された
だが併《しか》し、女は遂に威厳に打たれることないものでありました
砲弾が拋棄《ほうき》された

真夏昼思索

化石にみえる
錯覚と網膜との衝突
充足理由律の欠乏した野郎
記憶力の無能ばかりみたくせに
物識りになつたダダイスト

午睡《ヒルネ》から覚めました
ケチな充実の欲求のバイプレーにヂレッタニズム
両面から同時にみて価値のあるものを探す天才ヒステリーの言草
矛盾の存在が当然なんですよ
ヂラ以上の権威をダダイストは認めませぬ
畳をポントケサンでたゝいたら蝿が逃げて
声楽家が現れた

（人々は空を仰いだ）

人々は空を仰いだ
塀が長く続いてたために
天は明るい
電車が早く通つてつたために

――おゝ、何といふ悲劇の
因子に充ち満ちてゐることよ

冬と孤独と

新聞紙の焦げる匂ひ
黒い雪と火事の半鐘――
私が路次の角に立つた時小犬が走つた
「これを行つたらどんなごみためがめつかるだらう？」
いろはにほへと…………

浮浪歌

暗い山合、
簡単なことです、
つまり急いで帰れば
これから一時間といふものゝ後には
すきやきやつて湯にはいり
赤ン坊にはよだれかけ
それから床にはいれるのです

川は罪ないおはじき少女
なんのことかを知つてるが
こちらのつもりを知らないものとおんなじことに
後を見後を見かへりゆく
アストラカンの肩掛に
口角の出た叔父につれられ

そんなにいつてはいけませんいけません

あんなに空は額なもの
あなたははるかに葱《（ねぎ）》なもの
薄暗はやがて中枢なもの

それではずるいあきらめか
天才様のいふとほり

崖が声出す声を出す。
おもへば真面目不真面目の
けぢめ分たぬわれながら
こんなに暖い土色の
代証人の背《（せな）》の色

それ仕合せぞ偶然の、
されば最後に必然の
愛を受けたる御身《おみ》なるぞ

さつさと受けて、わすれつしやい、
この時ばかりは例外と
あんまり堅固な世間様
私は不思議でございます
そんなに商売といふものは
それはさういふもんですのが。

朝鮮料理屋がございます
目契ばかりで夜更まで
虹や夕陽のつもりでて、

あらゆる反動は傍径に入り
そこで英雄になれるもの

涙語

まづいビフテキ
寒い夜
澱粉過剰の胃にたいし
この明滅燈の分析的なこと！

あれあの星といふものは
地球と人との様により
新古自在に見えるもの

とほい昔の星だつて
いまの私になじめばよい

私の意志の尽きるまで
あれはあゝして待つてるつもり

私はそれをよく知つてるが
遂々のとこははむかつても
こゝのところを親しめば
神様への奉仕となるばかりの
愛でもがそこですまされるといふもの

この生活の肩掛や
この生活の相談が
みんな私に叛《(そむ)》きます
なんと藁紙の熟考よ

私はそれを悲しみます
それでも明日は元気です

無題

あゝ雲はさかしらに笑ひ
さかしらに笑ひ
この農夫　愚かなること
小石々々
エゴイストなり
この農夫　ためいきつくこと

しかすがに　結局のとこ
この空は　胸なる空は
農夫にも　遠き家にも
誠意あり
誠意あるとよ

すぎし日や胸のつかれや

びろうどの少女みずもがな
腕をあげ　握りたるもの
放すとよ　地平のうらに

心籠め　このこと果し
あなたより　白き虹より
道を選び道を選びて
それからよ芥箱《ごみばこ》の蓋

（秋の日を歩み疲れて）

秋の日を歩み疲れて
橋上を通りかゝれば
秋の草　金にねむりて
草分ける　足音をみる

忍従の　君は黙せし
われはまた　叫びもしたり
川果の　灰に光りて
感興は　唾液に消さる

人の呼気　われもすひつゝ
ひとみしり　する子のまなこ
腰曲げて　走りゆきたり

台所暗き夕暮
新しき生木の　かほり
われはまた　夢のものうさ

（かつては私も）

かつては私も
何にも後悔したことはなかつた
まことにたのもしい自尊のある時
人の生命《いのち》は無限であつた

けれどもいまは何もかも失つた
いと苦しい程多量であつた
まことの愛が
いまは自ら疑怪なくらゐくるめく夢で

偶性と半端と木質の上に
悲しげにボヘミヤンよろしくと
ゆつくりお世辞笑ひも出来る

愛するがために
悪弁であつた昔よいまはどうなつたか
忘れるつもりでお酒を飲みにゆき、帰つて来てひざに手を置く。

秋の日

秋の日は　白き物音
むきだせる　輔石《ほせき》の上に
人の目の　落ち去りゆきし
あゝ　すぎし　秋の日の夢

空にゆき　人群に分け
いまこゝに　たどりも着ける
老の眼の　毒ある訝《いぶ》かり
黒き石　興をさめて

あゝいかに すごしゆかんかな
乾きたる 砂金は頸を
めぐりてぞ 悲しきつゝましさ

涙腺をみてぞ 静かに
あきらめに しりごむけふを
あゝ天に 神はみてもある

無題

緋のいろに心はなごみ
蠣殼《かきがら》の疲れ休まる
金色の胸綬《コルセット》して

町を行く細き町行く
死の神の黒き涙腺
美しき芥もみたり
自らを恕《ゆる》す心の
展《ひろが》りに女を据えぬ
緋の色に心休まる
あきらめの閃《ひらめ》きをみる
静けさを罪と心得
きざむこと善しと心得
明らけき土の光に
浮揚する
　蜻蛉となりぬ

草稿詩篇（一九二五年—一九二八年）

退屈の中の肉親的恐怖

多産婦よ
炭倉の地ベタの隅に詰め込まれろ！
此の日白と黒との独楽《こま》廻り廻る
世間と風の中から来た退屈と肉親的恐怖——女
制約に未だ顔向けざる頃の我
人に倣ひて賽銭投げる筒ッポォ
——とまれ！——（幻燈会夜……）
茶色の上に乳色の一閑張《いっかんばり》は地平をすべり

彼方《かなた》遠き空にて止る
その上より西に東に――南に北に、　ホロツホロツ
落ち、舞ひ戻り畳の上に坐り
「彼女《アイツ》の祖母さんとカキモチ焼いてらあ」
「それから彼女《アイツ》はコーラスか」
「あら？　彼女《アイツ》は彼女《アイツ》のお父さんから望遠鏡手渡しされてる」
恋人の我より離れ
彼女等が肉親と語りゐたれば我が心――
ケチの焦げるにほひ……
此の日白と黒との独楽廻り廻る

或る心の一季節

――散文詩

最早、あらゆるものが目を覚ました、黎明《れいめい》は来た。私の心の中に住む幾多のフェアリー達は、朝露の傍では草の葉つぱのすがすがしい線を描いた。

私は過去の夢を訝《いぶか》しげな眼で見返る……何故《ナニユヱ》に夢であつたかはまだ知らない。其所《そこ》に安坐した大饒舌で漸《ようや》く癒る程暑苦しい口腔を、又整頓を知らぬ口角を、樺色の勝負部屋を、私は懐しみを以て心より胸にと汲み出だす。だが次の瞬間に、私の心はや、懐しみを棄てゝ慈しみに変つてゐる。これは如何《どう》したことだ？……けれども、私の心に今は残像に過ぎない、大饒舌で漸く癒る程暑苦しい口腔、整頓を知らぬ口角、樺色の勝負部屋……それ等の上にも、幸ひあれ！幸ひあれ！

併《しか》し此の願ひは、卑屈な生活の中では、「あゝ昇天は私に涙である」といふ、計らない、素気なき呟《つぶや》きとなつて出て来るのみだ。それは何故か？

私の過去の環境が、私に強請した誤れる持物は、釈放さるべきアルコールの朝《アシタ》の海を昨日得てゐる。だが、それを得たる者の胸に訪れる筈の天使はまだ私の黄色の糜《び》爛《らん》の病床に来ては呉《く》れない。――（私は風車の上の空を見上げる）――私の唸《うめ》きは今や美《うる》はしく強き血漿であるに、その最も親はしき友にも了解されずにゐる。………

私はそれが苦しい。――「私は過去の夢を訝しげな眼で見返る……何故《ナニユヱ》に夢であつたかはまだ知らない。其所に安坐した大饒舌で漸く癒る程暑苦しい口腔を、又整頓を知らぬ口角を、樺色の勝負部屋を、私は懐しみを以て心より胸にと汲み出す」――されぱこそ私は恥辱を忘れることによつての自由を求めた。

友よ、それを徒らな天真爛漫と見過《みあやま》るな。

だが、その自由の不快を、私は私の唯一つの仕事である散歩を、終日した後、やがてのこと己が机の前に帰つて来、夜の一点を囲ふ生暖き部屋に、投げ出された自分の手足を見懸ける時に、泌々《しみじみ》知る。掛け置いた私の置時計の一秒々々の音に、茫然耳をかしながら私は私の過去の要求の買ひ集めた書物の重なりに目を呉れる、又私の燈に向つて瞼を見据える。

間もなく、疲労が軽く意識され始めるや、私は今日一日の巫戯《ふざ》けた自分の行蹟の数々が、赤面と後悔を伴つて私の心に蘇るのを感ずる。――まあ其処《そこ》にある俺は、哄《こう》笑《しょう》と落胆との取留なき混交の放射体ではなかつたか！――だが併し、私のした私らしくない事も如何にか私の意図したことになつてるのは不思議だ………「私の過去の環境が、私に強請した誤れる私の持物は、釈放さるべきアルコールの朝の海を昨日得てゐる。だが、それを得たる者の胸に訪れる筈の天使はまだ私の黄色の糜爛の病床に来ては呉れない。――（私は風車の上の空を見上げる）――私の唸きは今や美はしく強き血漿であるに、その最も親はしき友にも了解されずにゐる」………さうだ、焦点の明確でないこと以外に、私は私に欠点を見出すことはもう出来ない。

私は友を訪れることを避けた。そして砂埃の立ち上がり巻き返る広場の縁《フチ》をすぐつて歩いた。

今日もそれをした。そして今もう夜中が来てゐる。終列車を当てに停車場の待合室にチョコンと坐つてゐる自分自身である。此所から二里近く離れた私の住居である一室は、夜空の下に細い赤い口をして待つてるやうに思へる――

私は夜、眠いリノリュームの、停車場の待合室では、沸き返る一抱きの蒸気釜を要求した。

秋の愁嘆

あゝ、秋が来た
眼に琺瑯《ほうろう》の涙沁《し》む。
あゝ、秋が来た
胸に舞踏の終らぬうちに
もうまた秋が、おぢやつたおぢやつた。
野辺を 野辺を 畑を 町を
人達を縦躙《じゆうりん》に秋がおぢやつた。

その着る着物は寒冷紗《かんれいしや》
両手の先には　軽く冷い銀の玉
薄い横皺《よこじわ》平らなお顔で
笑へば籾殻《もみがら》かしやかしやと、
へちまのやうにかすかすの
悪魔の伯父さん、おぢやつたおぢやつた。

（一九二五・一〇・七）

かの女

千の華燈よりとほくはなれ、
笑める巷《ちまた》よりとほくはなれ、
露じめる夜のかぐろき空に、
かの女はうたふ。

「月汞《げっこう》はなし、
低声《こごゑ》誇りし男は死せり。
皮肉によりて瀆《けが》されたりし、
生よ歓喜よ！」かの女はうたふ。

鬱悒《うつゆう》のほか訴ふるなき、
翁《おきな》よいましかの女を抱け。
自覚なかりしことによりて、

いたましかりし純美の心よ。
かの女よ憔《じ》らせ、狂ひ、踊れ、
汝《なれ》こそはげに、太陽となる！

少年時

母は父を送り出すと、部屋に帰つて来て溜息をした。
彼の女の溜息にはピンクの竹紙。
それが少し藤色がゝつて匂ふので、
私は母から顔を反向《そむ》ける。

母は独りで、案じ込んでる。
私は気の毒だが、滑稽でもある。
　母の愁《うれ》ひは美しい、
　母の愁ひは愚かしい。

父は今頃もう行き先で、
にこにこ笑つて話してるだらう。
　父の怒りに罪はない、
　父の怒りは障碍《しょうがい》だ。

私は間で悩ましい、
私は間で悩ましい、僕はたゞもういらいらとする。
私はむやみにいらいらしだす。
何方《どちら》も罪がないので、云つてやる言葉もない。

（では、あゝ、僕は、僕を磨かう。
ですから僕に、何にも言ふな！）
と、結局何時も、僕はさう思つた。
由来僕は、孤独なんだ……

夜寒の都会

外燈に誘出された長い板塀、
人々は影を連れて歩く。

星の子供は声をかぎりに、
たゞよふ靄《もや》をコロイドとする。

亡国に来て元気になつた、
この涙色《はな》の目の婦《をんな》、
今夜こそ心もない、魂もない。

輔道の上には勇ましく、
黄銅の胸像が歩いて行つた。

私は沈黙から紫がかつた、
数箇の苺《いちご》を受けとつた。

ガリラヤの湖にしたりながら、
天子は自分の胯《また》を裂いて、
ずたずたに甘えてすべてを呪つた。

地極の天使

われ星に甘え、われ太陽に傲岸《ごうがん》ならん時、人々自らを死物と観念してあらんことを！　われは御身等を呪ふ。

心は腐れ、器物は穢《けが》れぬ。「夕暮」なき競走、油と蟲《むし》となる理想！　――言葉は既に無益なるのみ。われは世界の壊滅を願ふ！

蜂の尾と、ラム酒とに、世界は分解されしなり。夢のうちなる遠近法、夏の夜風の小鎚《こづち》の重量、それ等は既になし。

陣営の野に笑へる陽炎《かげろう》、空を匿《かく》して笑へる歯、――おゝ古代！――心は寧ろ笛にまで、堕落すべきなり。

家族旅行と木箱との過剰は最早、世界をして理知にて笑はしめ、感情にて判断せしむるなり。――われは世界の壊滅を願ふ！

マグデブルグの半球よ、おゝレトルトよ！　汝等祝福されてあるべきなり、其《そ》の他はすべて分解しければ。

マグデブルグの半球よ、おゝレトルトよ！　われ星に甘え、われ太陽に傲岸ならん時、汝等ぞ、讃ふべきわが従者！

無題

疲れた魂と心の上に、
訪れる夜が良夜《あたらよ》であつた……
そして額のはるか彼方《かなた》に、
私を看守《みまも》る小児があつた……

その小児は色白く、水草の青みに揺れた、
その瞼《まぶた》は赤く、その眼《まなこ》は恐れてゐた。
その小児が急にナイフで自殺すれば、
美しい唐縮緬《とうちりめん》が跳び出すのであつた！

しかし何事も起ることなく、
良夜の闇は潤んでゐた。
私は木の葉にとまつた一匹の昆蟲《こんちゆう》……
それなのに私の心は悲しみで一杯だつた。

額のつるつるした小さいお婆さんがゐた、
その慈愛は小川の春の小波だつた。
けれども時としてお婆さんは怒りを愉《たの》しむことがあつた。
そのお婆さんがいま死なうとしてるのであつた……

神様は遠くにゐた、
良夜の空気は動かなく、神様は遠くにゐた。
私はお婆さんの過ぎた日にあつたことをなるべく語らうとしてゐるのであつた、
私はお婆さんの過ぎた日にあつたことを、なるべく語らうとしてゐるのであつた……

（いかにお婆さん、怒りを愉しむことは好ましい！）

（一九二七・八・二九）

浮浪

私は出て来た、
街に灯がともつて
電車がとほつてゆく。
今夜人通も多い。

私も歩いてゆく。
もうだいぶ冬らしくなつて
人の心はせはしい。なんとなく
きらびやかで淋しい。

建物の上の深い空に
霧が黙つてただよつてゐる。
一切合切《いつさいがつさい》が昔の元気で
拵《こしら》へた笑《ゑみ》をたたへてゐる。

食べたいものもないし
行くとこもない。
停車場の水を撒いたホームが
……恋しい。

春の雨

昨日は喜び、今日は死に、
明日は戦ひ？……
ほの紅の胸ぬちはあまりに清く、
道に踏まれて消えてゆく。
歌ひしほどに心地よく、
聞かせしほどにわれ喘《あえ》ぐ。

春わが心をつき裂きぬ、
たれか来りてわを愛せ。
あゝ喜びはともにせん、
わが恋人よはらからよ。

われの心の幼なくて、
われの心に怒りあり。
さてもこの日に雨が降る、
雨の音きけ、雨の音。

屠殺所

屠殺所に、

死んでゆく牛はモーと啼いた。
六月の野の土赫《あか》く、
地平に雲が浮いてゐた。

道は躓《つまず》きさうにわるく、
私はその頃胃を病んでゐた。

屠殺所に、
死んでゆく牛はモーと啼いた。
六月の野の土赫く、
地平に雲が浮いてゐた。

夏の夜

一

暗い空に鉄橋が架かつて、
男や女がその上を通る。
その一人々々が夫々《それぞれ》の生計《なりはひ》の形をみせて、
みんな黙つて頷《うなず》いて歩るく。

吊られてゐる赤や緑の薄汚いランプは、
空いつぱいの鈍い風があたる。
それは心もなげに燈《とも》つてゐるのだが、
燃え尽した愛情のやうに美くしい。

泣きかゝる幼児を抱いた母親の胸は、
掻乱《かきみだ》されてはゐるのだが、
「この子は自分が育てる子だ」とは知つてゐるやうに、

その胸やその知つてゐることや、夏の夜の人通りに似て、
はるか遥かの暗い空の中、星の運行そのまゝなのだが、
それが私の憎しみやまた愛情にかゝはるのだ……。

二

私の心は腐つた薔薇《ばら》のやうで、
夏の夜の靄《もや》では淋しがつて溷《すすりな》く。
若い士官の母指《おやゆび》の腹や、
四十女の腓腸筋《ひちようきん》を慕ふ。

それにもまして好ましいのは、
オルガンのある煉瓦の館《やかた》。
蔦蔓《つたかづら》が黝々《くろぐろ》と匍《は》ひのぼつてゐる、
埃りがうつすり掛かつてゐる。

その時広場は汐《な》ぎ亙《わた》つてゐるし、
お濠《ほり》の水はさゞ波たてゝる。

どんな馬鹿者だつてこの時は殉教者の顔付をしてゐる。
私の心はまづ人間の生活のことについて燃えるのだが、
そして私自身の仕事については一生懸命錬磨するのだが、
結局私は薔薇色の蜘蛛だ、夏の夕方は紫に息づいてゐる。

処女詩集序

かつて私は一切の「立脚点」だつた。
かつて私は一切の解釈だつた。
私は不思議な共通接線に額して、
倫理の最後の点をみた。

（あゝ、それらの美しい論法の一つ一つを、いかにいまこゝに想起したいことか！）

※

その日私はお道化《どけ》る子供だつた。
卑少な希望達の仲間となり馬鹿笑ひをつゞけてゐた。
（いかにその日の私の見窄《みすぼら》しかつたことか！
いかにその日の私の神聖だつたことか！）

※

私は完《まつた》き従順の中に
わづかに呼吸を見出だしてゐた。

※

私は羅馬婦人《ローマをんな》の笑顔や夕立跡の雲の上を、
膝頭《がしら》で歩いてゐたやうなものだ。

※

これらの忘恩な生活の罰か？　はたしてさうか？

私は今日、統覚作用の一摧片《ひとかけら》をも持たぬ。

さうだ、私は十一月の曇り日の墓地を歩いてゐた、
柊《（ひいらぎ）》の葉をみながら私は歩いてゐた。

その時私は何か？たしかに失つた。

※

今では私は
生命の動力学にしかすぎない――
自持《（じじ）》をもつて私は、むづかる特権を感じます。
かくて私には歌がのこつた。
たつた一つ、歌といふがのこつた。

※

私の歌を聴いてくれ。

詩人の嘆き

私の心よ怒るなよ、
ほんとに燃えるは独りでだ、
するとあとから何もかも、
夕星《ゆふづつ》ばかりが見えてくる。

マダガスカルで出来たといふ、
このまあ紙は夏の空、
綺麗に笑つてそのあとで、
ちつともこちらを見ないもの。

あゝ喜びや悲しみや、
みんな急いで逃げるもの。
いろいろ言ひたいことがある、
神様からの言伝《ことづて》もあるのに。

ほんにこれらの生活《なりはひ》の
日々を立派にしようと思ふのに、
丘でリズムが勝手に威張つて、
そんなことは放つてしまへといふ。

聖浄白眼

神　に

面白がらせと怠惰のために、こんなになつたのでございます。
今では何にも分りません。
曇つた寒い日の葉繁みでございます。
眼瞼《まぶた》に蜘蛛がいとを張ります。

（あゝ何を匿《かく》さうなにを匿さう。）

しかし何の姦計《かんけい》があつてからのことではないのでございます。
面白がらせをしてゐるよりほか、なかつたのでございます。
私は何にも分らないのでございます。
頭が滅茶苦茶になつたのでございます。

それなのに人は私に向つて断行的でございます。
昔は抵抗するに明知を持つてゐましたが、
明知で抵抗するのには手間を要しますので、
遂々《とうとう》人に潰されたとも考へられるのでございます。

自分に

私の魂はたゞ優しさを求めてゐた。
それをさうと気付いてはゐなかつた。
私は面白がらせをしてゐたのだ……
みんなが俺を慰んでやれといふ顔をしたのが思ひ出される。

歴史に

明知が群集の時間の中に丁度よく浮んで流れるのには
二つの方法がある。
一は大抵の奴が実施してゐるディレッタンティズム、
一は良心が自ら煉獄を通過すること。

なにものの前にも良心は枉《ま》げらるべきでない！
女・子供のだつて、乞食のだつて。

歴史は時間を空間よりも少しづゝ勝たせつゝある？
おゝ、念力よ！現れよ。
　　人群《じんぐん》に

貴様達は決して出納掛以上ではない！
貴様達は善いものも美しいものも求めてはをらぬのだ！
貴様達は糊附け着物だ、
貴様達は自分の目的を知つてはをらぬのだ！

冬の日

私を愛する七十過ぎのお婆さんが、
暗い部屋で、坐つて私を迎へた。
外では雀が樋《とい》に音をさせて、
冷たい白い冬の日だつた。

ほのかな下萠《したもえ》の色をした、
風も少しは吹いてゐるのだつた。
私は自信のないことだつた、
紐を結ぶやうな手付をしてゐた。

とぎれとぎれの口笛が聞こえるのだつた、
下萠の色の風が吹いて。

あゝ自信のないことだつた、

紙魚《たこ》が一つ、颺《あが》つてゐるのだつた。

幼なかりし日

・・・・・・・・・・

在りし日よ、幼なかりし日よ！
春の日は、苜蓿《うまごやし》踏み
青空を、追ひてゆきしにあらざるか？
いまははた、その日その草の、
何方《いづち》の里を急げるか、何方の里にそよげるか？
すずやかの、音ならぬ音は呟《つぶや》き
電線は、心とともに空にゆきしにあらざるか？
町々は、あやに翳《かげ》りて、

厨房《ちゆうばう》は、整ひたりしにあらざるか？
過ぎし日は、あやにかしこく、
その心、疑惧《うたがひ》のごとし。

さはれ人けふもみるがごとくに、
　子等の背はまろく
　子等の足ははやし。
……人けふも、けふも見るごとくに。

（一九二八・一・二五）

間奏曲

いとけない顔のうへに、
降りはじめの雨が、ぽたつと落ちた……

百合の少女《をとめ》の眼瞼《（まぶた）》の縁《ふち》に、
露の玉が一つ、あらはれた……

春の祭の街《まち》の上（の）に空から石が降つて来た
人がみんなとび退いた！

いとけない顔の上に、
雨が一つ、落ちた……

秋の夜

夜霧が深く
冬が来るとみえる。
森が黒く
空を恨む。

外燈の下《もと》に来かかれば
なにか生活めいた思ひをさせられ、
暗闇にさしかかれば
死んだ娘達の歌声を聞く。

夜霧が深く
冬が来るとみえる。
森が黒く
空を恨む。

深い草叢《（くさむら）》に蟲《（むし）》が鳴いて、
深い草叢を霧が包む。
近くの原が疲れて眠り、
遠くの竝木《（なみき）》が疑深い。

ノート小年時（一九二八年―一九三〇年）

女よ

女よ、美しいものよ、私の許《もと》にやつておいでよ。
笑ひでもせよ、嘆きでも、愛らしいものよ。
妙に大人ぶるかと思ふと、すぐまた子供になつてしまふ
女よ、そのくだらない可愛いい夢のままに、
私の許にやつておいで。嘆きでも、笑ひでもせよ。

どんなに私がおまへを愛すか、
それはおまへにわかりはしない。けれどもだ、
さあ、やつておいでよ、奇麗な無知よ、

おまへにわからぬ私の悲愁は、
おまへを愛すに、かへつてすばらしいこまやかさとはなるのです。

さて、そのこまやかさが何処《どこ》からくるともしらないおまへは、
欣《よろこ》び甘え、しばらくは、仔猫のやうにも戯《じゃ》れるのだが、
やがてもそれに飽いてしまふと、そのこまやかさのゆゑに
却《かえつ》ておまへは憎みだしたり疑ひ出したり、つひに私に叛《そむ》くやうにさへもなるのだ、
おゝ、忘恩なものよ、可愛いいものよ！　おゝ、可愛いいものよ、忘恩なものよ！
（一九二八・一二・一八）

幼年囚の歌

1

こんなに酷《ひど》く後悔する自分を、
それでも人は、苛《いじ》めなければならないのか？

でもそれは、苛めるわけではないのか？
さうせざるを得ないといふのか？

人よ、君達は私の弱さを知らなさすぎる。
夜も眠れずに、自らを嘆くこの男を、
君達は知らないのだ、嘆きのために、
果物にもパンにももう飽かしめられたこの男を。
君達は知らないのだ、神のほか、地上にはもうよるべのない、
冬の夜は夜空のもとに目も耳もないこの悲しみを。
それにしてもと私は思ふ、
この明瞭なことが、どうして君達には見えないのだらう？
どうしてだ？どうしてだ？
君達は、自疑してるのだと私は思ふ……

2

今夜《こよ》はまた、かくて呻吟《しんぎん》するものを、

明日の日は、また罪犯す吾なるぞ。
かくて幾たび幾そたび繰返すとも悟らぬは、
いかなる呪ひのためならむ。

かくは烈しく呻吟し
かくは間なくし罪つくる。
繰返せども返せども、
つねに新し、たびたびに。

かくは烈しく呻吟し、
などてはまたも繰返す？
かくはたびたび繰返し、
などては進みもなきものか？

われとわが身にあらそへば
人の喜び、悲しみも、
ゼラチン透かし見るごとく
かなしくもまたおどけたり。

寒い夜の自我像

1

きらびやかでもないけれど、
この一本の手綱をはなさず
この陰暗の地域をすぎる！
その志明かなれば
冬の夜を、われは嘆かず、
人々の憔燥《しようそう》のみの悲しみや
憧れに引廻される女等の鼻唄を、
我が瑣細《ささい》なる罰と感じ
そが、わが皮膚を刺すにまかす。

（一九二九・一・四）

蹌踉《よろ》めくままに静もりを保ち、
聊《いささ》か儀文めいた心地をもつて
われはわが怠惰を諫《いさ》める、
寒月の下をゆきながら、

陽気で坦々として、しかも己を売らないことをと、
わが魂の願ふことであつた！……

2

恋人よ、その哀しげな歌をやめてよ、
おまへの魂がいらいらするので、
そんな歌をうたひだすのだ。
しかもおまへはわがままに
親しい人だと歌つてきかせる。

ああ、それは不可《いけ》ないことだ！
降りくる悲しみを少しもうけとめないで、
安易で架空な有頂天を幸福と感じ做《な》し

自分を売る店を探して走り廻るとは、
なんと悲しく悲しいことだ……

神よ私をお憐み下さい！

3

私は弱いので、
悲しみに出遇《であ》ふごとに自分が支へきれずに、
生活を言葉に換へてしまひます。
そして堅くなりすぎるか
自堕落になりすぎるかしなければ、
自分を保つすべがないやうな破目《はめ》になります。

神よ私をお憐れみ下さい！
この私の弱い骨を、暖いトレモロで満たして下さい。
ああ神よ、私が先づ、自分自身であれるやう
日光と仕事とをお与へ下さい！

（一九二九・一・二〇）

冷酷の歌

1

ああ、神よ、罪とは冷酷のことでございました。
泣きわめいてゐる心のそばで、
買物を夢みてゐるあの裕福な売笑婦達は、
罪でございます、罪以外の何者でもございません。

そしてそれが恰度《ちょうど》私に似てをります、
貪婪《どんらん》の限りに夢をみながら
一番分りのいい俗な瀟洒《しょうしゃ》の中を泳ぎながら、
今にも天に昇りさうな、枠のやうな胸で思ひあがつてをります。

伸びたいだけ伸《の》んで、拡がりたいだけ拡がつて、
恰度紫の朝顔の花かなんぞのやうに、
朝は露に沾《うるお》ひ、朝日のもとに笑《ゑみ》をひろげ、

夕は泣くのでございます、獣のやうに。
獣のやうに嗜慾《しよく》のうごめくまゝにうごいて、
その末は泣くのでございます、肉の痛みをだけ感じながら。

2

絶えざる苛責《かしやく》といふものが、それが
どんなに辛いものかが分るか？

おまへの愚かな精力が尽きるまで、
恐らくそれはおまへに分りはしない。

けれどもいづれおまへにも分る時は来るわけなのだが、
その時に辛からうよ、おまへ、辛からうよ、

絶えざる苛責といふものが、それが
どんなに辛いか、もう既に辛い私を

おまへ、見るがいい、よく見るがいい、
ろくろく笑へもしない私を見るがいい！

3

人には自分を紛らはす力があるので、
人はまづみんな幸福さうに見えるのだが、
人には早晩紛らはせない悲しみがくるのだ。
悲しみが自分で、自分が悲しみの時がくるのだ。

長い懶《ものう》い、それかといつて自滅することも出来ない、
さういふ惨《いたま》しい時が来るのだ。
悲しみは執《しつ》ッ固《こ》くてなほも悲しみ尽さうとするから、
悲しみに入つたら最後休《や》む時がない！
理由がどうであれ、人がなんと謂《い》へ、
悲しみが自分であり、自分が悲しみとなつた時、

人は思ひだすだらう、その白けた面の上に
涙と微笑とを浮べながら、聖人たちの古い言葉を。

そして今猶《なお》走り廻る若者達を見る時に、
忌《いま》はしくも忌はしい気持に浸ることだらう、
嗚呼《ああ》!その時に、人よ苦しいよ、絶えいるばかり、
人よ、苦しいよ、絶えいるばかり……

4

夕暮が来て、空気が冷える、
物音が微妙にいりまじつて、しかもその一つ一つが聞える。
お茶を注ぐ、煙草を吹かす、薬鑵《やかん》が物憂い唸りをあげる。
床や壁や柱が目に入る、そしてそれだけだ、それだけだ。

神様、これが私の只今でございます。
薔薇《ばら》と金毛とは、もはや煙のやうに空にゆきました。

いいえ、もはやそれのあつたことさへが信じきれないで、
私は疑ひぶかくなりました。
萎《しお》れた葱《ねぎ》か韮《にら》のやうに、ああ神様、
私は疑ひのために死ぬるでございませう。

雪が降つてゐる……

雪が降つてゐる、
　とほくを。
雪が降つてゐる、
　とほくを。
捨てられた羊かなんぞのやうに
　とほくを、
雪が降つてゐる、

　とほくを。
たかい空から、
　とほくを、
とほくを
　とほくを、
お寺の屋根にも、
　それから、
お寺の森にも、
　それから、
たえまもなしに。
　空から、
雪が降つてゐる
　それから、
兵営にゆく道にも、
　それから、
日が暮れかゝる、
　それから、
喇叭《らつぱ》がきこえる。

それから、
雪が降つてゐる、
なほも。

（一九二九・二・一八）

身過ぎ

面白半分や、企略《たくらみ》で、
世の中は瀬戸物の音をたてては喜ぶ。
躁《はしや》ぎすぎたり、悄気《しよげ》すぎたり、
さても世の中は骨の折れることだ。

誰も彼もが不幸で、
ただ澄ましてゐるのと騒いでゐるのとの違ひだ。
その辛さ加減はおんなしで、

羨《うらや》みあふがものはないのだ。

さてそこで私は瞑想や籠居《ろうきよ》や信義を発明したが、
瞑想はいつでも続いてゐるものではなし、
籠居は空つぽだし、私は信義するのだが
相手の方が不信義で、やつぱりそれも駄目なんだ。

かくて無抵抗となり、ただ真実を愛し、
浮世のことを恐れなければよいのだが、
あだな女をまだ忘れ得ず、えェいつそ死なうかなぞと
思つたりする――それもふざけだ。辛い辛い。

倦　怠

倦怠の谷間に落つる

この真つ白い光は、
私の心を悲しませ、
私の心を苦しくする。

真つ白い光は、沢山の
倦怠の呟《つぶや》きを掻消《かきけ》してしまひ、
倦怠は、やがて憎怨となる。
かの無言なる惨《いた》ましき憎怨……

忽《たちま》ちにそれは心を石となし、
人はただ寝転ぶより仕方がないのだ。
と同時に、果されずに過ぎる義務の数々を
悔いながら、数へなければならないのだ。

やがて世の中が偶然ばかりで出来てるやうにみえてきて、
人はただ絶えず慄《ふる》へる、木の葉のやうに、
午睡から覚めたばかりのやうに、
呆然《ぼうぜん》たる意識の中に、眼光《まなこ》らし死んでゆくのだ。

夏は青い空に……

夏は青い空に、白い雲を浮ばせ、
　わが嘆きをうたふ。
わが知らぬ、とほきとほきとほき深みにて
青空は、白い雲を呼ぶ。

わが嘆きわが悲しみよ、かうべを昂《あ》げよ。
――記臆も、去るにあらずや……
湧き起る歓喜のためには
人の情けも、小さきものとみゆるにあらずや

ああ、神様、これがすべてでございます、
　尽すなく尽さるるなく、
心のまゝにうたへる心こそ
　これがすべてでございます！

空のもと林の中に、たゆけくも
仰《あほ》ざまに眼《まなこ》をつむり、
白き雲、汝《な》が胸の上《へ》を流れもゆけば、
はてもなき平和の、汝がものとなるにあらずや

木蔭

神社の鳥居が光をうけて
楡《にれ》の葉が小さく揺すれる。
夏の昼の青々した木陰は
私の後悔を宥《なだ》めてくれる。

暗い後悔、いつでも附纏ふ後悔、
馬鹿々々しい破笑にみちた私の過去は

やがて涙つぽい晦暝《かいめい》となり
やがて根強い疲労となつた。

かくて今では朝から夜まで
忍従することの他に生活を持たない。
怨みもなく喪心したやうに
空を見上げる、私の眼――

神社の鳥居が光をうけて
楡の葉が小さく揺すれる。
夏の昼の青々した木陰は
私の後悔を宥めてくれる。

（一九二九・七・一〇）

夏の海

耀《かがや》く浪の美しさ
空は静かに慈しむ、
耀く浪の美しさ。
人なき海の夏の昼。

心の喘《あえ》ぎしづめとや
浪はやさしく打寄する、
古き悲しみ洗へとや
浪は金色、打寄する。

そは和やかに穏やかに
昔に聴きし声なるか、
あまりに近く響くなる
この物云はぬ風景は、

見守りつつは死にゆきし
父の眼《まなこ》とおもはるる
忘れゐたりしその眼
今しは見出で、なつかしき。

耀く浪の美しさ
空は静かに慈しむ、
耀く浪の美しさ。
人なき海の夏の昼。

（一九二九・七・一〇）

頌歌

出で発《た》たん！夏の夜は

霧と野と星とに向つて。
出で発たん、夏の夜は
一人して、身も世も軽く！

この自由、おゝ！この自由！
心なき世のいさかひと
多忙なる思想を放ち、
身に沁《し》みるみ空の中に

悲しみと喜びをもて、
つつましく、かつはゆたけく、
歌はなん古きしらべを

霧と野と星とに伴《つ》れて、
歌はなん、夏の夜は
一人して、古きおもひを！

（一九二九・七・一三）

消えし希望

暗き空へと消え行きぬ
わが若き日を燃えし希望は。

夏の夜の星の如くは今もなほ
遠きみ空に見え隠る、今もなほ。

暗き空へと消えゆきぬ
わが若き日の夢は希望は。

今はた此処《ここ》に打伏して
獣の如くも、暗き思ひす。
そが暗き思ひ何時《いつ》の日
晴れんとの知るよしなくて、

溺れたる夜《よる》の海より
空の月、望むが如し。
その浪はあまりに深く
その月は、あまりにきよく、
あはれわが、若き日を燃えし希望の
今ははや暗き空へと消え行きぬ。

（一九二九・七・一四）

追懐

あなたは私を愛し、
私はあなたを愛した。

あなたはしつかりしてをり、
わたしは真面目であつた。——

人にはそれが、嫉《ねた》ましかつたのです、多分、
そしてそれを、偸《ぬす》まうとかゝつたのだ。

嫉み羨《うらや》みから出発したくどきに、あなたは乗つたのでした、
——何故でせう？——何かの拍子……

さうしてあなたは私を別れた、
あの日に、おお、あの日に！

曇つて風ある日だつたその日は。その日以来、
もはやあなたは私のものではないのでした。

私は此処《ここ》にゐます、黄色い灯影に、
あなたが今頃笑つてゐるかどうか、——いや、ともすればそんなこと、想つてゐたり

するのです

（一九二九・七・一四）

夏

血を吐くやうな　倦《もの》うさ、　たゆたさ
今日の日も畑に陽は照り、麦に陽は照り
眠るがやうな悲しさに、み空をとほく
血を吐くやうな倦うさ、　たゆたさ

空は燃え、畑はつづき
雲浮び、眩《まぶ》しく光り
今日の日も陽は燃ゆる、地は睡る
血を吐くやうなせつなさに。

嵐のやうな心の歴史は
終つてしまつたもののやうに
そこから繰《たぐ》れる一つの緒《いとぐち》もないもののやうに
燃ゆる日の彼方《かなた》に眠る。

私は残る、亡骸《なきがら》として、
血を吐くやうなせつなさかなしさ。

（一九二九・八・二〇）

夏と私

真ッ白い嘆かひのうちに、
海を見たり。鷗《かもめ》を見たり。

高きより、風のただ中に、

思ひ出の破片の翻転するを見たり。

夏としなれば、高山に、
真ッ白い嘆きを見たり。
燃ゆる山路を、登りゆきて
頂上の風に吹かれたり。
風に吹かれつ、わが来し方に、
茫然としぬ、涙しぬ。

はてしなき、そが心
母にも、……もとより友には明さざりき。
しかすがにのぞみのみにて、
拱《こまぬ》きて、そがのぞみに圧倒さるる、
わが身を見たり、夏としなれば、

そのやうなわが身をみたり。

（一九三〇・六・一四）

湖上

ポッカリ月が出ましたら、
舟を浮べて出掛けませう。
波はひたひた打つでせう、
風も少しはあるでせう。

沖に出たらば暗いでせう。
櫂《かい》から滴垂《したた》る水の音は
昵懇《ちか》しいものに聞えませう、
あなたの言葉の杜切《とぎ》れ間を。

月は聴き耳立てるでせう、
すこしは降りてもくるでせう。
われら脣《くち》づけする時に、
月は頭上にあるでせう。

あなたはなほも、語るでせう、
よしないことやすねごとや、
洩らさず私は聴くでせう。
けれども漕ぐ手はやめないで。

ポッカリ月が出ましたら、
舟を浮べて出掛けませう。
波はひたひた打つでせう、
風も少しはあるでせう。

（一九三〇・六・一五）

早大ノート（一九三〇年―一九三七年）

干物

秋の日は、干物の匂ひがするよ

外苑の舗道しろじろ、うちつづき、
千駄ヶ谷　森の梢のちろちろと
空を透かせて、われわれを
視守る　如し。

秋の日は、干物の匂ひがするよ

干物の、匂ひを嗅いで、うとうとと
秋蟬の鳴く声聞いて、われ睡る
人の世の、もの事すべて患《わづ》らはし
匂を嗅いで睡ります、ひとびとよ、
秋の日は、干物の匂ひがするよ

いちぢくの葉

いちぢくの、葉が夕空にくろぐろと、
風に吹かれて
隙間より、空あらはれる
美しい、前歯一本欠け落ちた
をみなのやうに、姿勢よく
ゆふべの空に、立ちつくす

——わたくしは、がつかりとして
わたしの過去の　ごちやごちやと
積みかさなつた思ひ出の
ほごすすべなく、いらだつて、
やがては、頭の重みの現在感に
身を托し、心も托し、

なにもかも、いはぬこととし、
このゆふべ、ふきすぐる風に頸さらし、
夕空に、くろぐろはためく
いちぢくの、木末（こずゑ）　みあげて、
なにものか、知らぬものへの
愛情のかぎりをつくす。

カフエーにて

酔客の、さわがしさのなか、
ギタアルのレコード鳴つて、
今晩も、わたしはここで、
ちびちびと、飲み更かします

人々は、挨拶交はし、
杯の、やりとりをして、
秋寄する、この宵をしも、
これはまあ、きらびやかなことです

わたくしは、しよんぼりとして、
自然よりよいものは、さらにもないと、
悟りすましてひえびえと

ギタアルきいて、身も世もあらぬ思ひして
酒啜《すす》ります、その酒に、秋風泌《し》みて
それはもう　結構なさびしさでございました

（休みなされ）

休みなされ、
台所や便所の掃除こそ大事だなぞといふ教訓を、
お忘れなされ。

休みなされ、
ビンツケでもてておるやうな髪ならば、
グサグサにしておしまひなされ

魂の嘆きを窒息させて、

せかせかと働きなさるからこそ、
やんがて姑《しゆうとめ》根性をも発揮なさるのだ。

休みなされ、
放胆になりなされ、
大きい声して歌ひなされ。

砂漠の渇き

1

私の胃袋は、金の叫びを揚げた。
水筒の中にはもはや、一滴の水もなかつた。
私は砂漠の中にゐた。
私の胃袋は金の叫びを揚げた。

しかし私は悲しみはしなかつた。
私はどこかに猶《なお》オアシスを探さうと努力してゐた。
けれども其《そ》の時私の伴侶の、
途方に暮れた顔をみては私は悲しくなつた。
「ああ、渇く。辛いな」と私は云つた。
「辛いな、辛いな」。
そしてはや、私はオアシスのことは忘れてゐた。
私は私の伴侶への心づかひで一杯だつた。
日は光り、砂は焦げ、空はグルグル廻《ま》つた。
私は私の伴侶への心づかひで一杯だつた。

2

私達二人は渇いてゐた。

しかし差当りどうすることも出来なかつた。
私は努力しながら、
しかし稀《き》蹟《せき》を信じてゐた。

そして私は伴侶のためには、
やがて冗談口を叩きはじめた。

私は莫《ば》迦《か》げきつたことを、さも呑気さうに語りながら、
偶《たま》には伴侶を笑はせることに成巧した。

でもその都《つ》度《ど》、ともするとつのりゆく私の渇きは、
私の冗談口を裏切つた。

伴侶は嶮《けわ》しい目付で其の時私を見守つた。
おまへの冗談口なぞあまり似つかはしくないよとばかり。

しかし我々は差当り渇きをどうしやうもなかつた。

私は祈る代りのやうに、冗談口を叩いてゐた。

3

日は光り、私は渇き、
地平はみえず。

わたくしの、理性はいまだ
狂ひもえせず。

私の伴侶は私に嘆き、
伴侶の嘆きに私は嘆き、
日は光り、空気は蒸れて、
足重く、倒れんばかり。

4

私はかくて死にゆくのだが、
しかし伴侶をいたみながらだ。

5

「対立」の概念の、去らんことを！

（そのうすいくちびると）

そのうすいくちびると、
そのほそい声とは
食べるによろしい。
薄荷《はっか》のやうに結晶してはゐないけれど、
結締組織をしてはゐるけれど、
食べるによろしい。

しかし、食べることは誰にも出来るけれど、食べだしてからは六ヶ敷《むつかし》い。
味はふことは六ヶ敷い、……
黎明《あけぼの》は心を飛翔《ひしよう》させ、

美食をすべてキナくさく思はせ、
人の愛さへ五月蠅《うるさ》く思はせ、――
それでもそのうすいくちびるとそのほそい声とは、
食べるによろしい。――あゝ、よろしい！

（孤児の肌に唾吐きかけて）

孤児の肌《はだへ》に唾《つば》吐きかけて、
あとで泣いたるわたくしは
滅法界の大馬鹿者で、

今、夕陽のその中を
断崖《きりぎし》に沿ふて歩みゆき、
声の限りに笑はんものと
またも愚かな願ひを抱き
あとで泣くかや、わが心。

（風のたよりに、沖のこと　聞けば）

風のたよりに、沖のこと　聞けば、
今夜は、可なり漁《と》れさう、ゆつくり今頃夕飯食べてる。
そろそろ夜焚《(よだき)》の、灯ともす船もある
今は凪《(なぎ)》だが、夜中になれば少し荒れよう。

しらじらと夜のあけそめに、
漁船らは、沖を出発、
帰つてきた、港の朝は、
まぼろしの、帆柱だらけ
雨風に、しらむだ船側《ふなばた》、
干《ほ》されたる大いな網よ。

せはしげな、女の声々、

あゝ、これでは、
人生は今も聞こゆる潮騒《しおさい》のごと、
ねぼけづらなる潮騒のごと、
うらがなしく、あつけない。

しかすがに、みよ、猟師の筋骨、
彼等は今晩も沖に出てゆく。
そのために昼間は寝る。

Qu'est-ce que c'est que moi?

私のなかで舞つてるものは、
こほろぎでもない、
秋の夜でもない。
南洋の夜風でもない、
椰子樹《やしのき》でもない。
それの葉に吹く風でもない
それの梢と、すれすれにゆく雲でない月光でもない。
つまり、その……
サムシング。
だが、なァんだその、サムシングかとは、
決して云つてはもらひますまい。

さまざまな人

抑制と、突発の間をいつたりきたり、
彼は人にも自分にも甘えてゐるのです。

※

彼の鼻は、どちらに向いてゐるのか分らない、
真面目のやうで、嘲《あざけ》つてるやうで。

※

彼は幼時より変人とされました、
彼が馬鹿だと見られさへしたら天才でしたらうに。

※

打返した綿のやうになごやかな男、
ミレーの絵をみて、涎《よだれ》を垂らしてゐました。

※

ソーダ硝子《ガラス》のやうな眼と唇とを持つ男、
彼が考へる時、空をみました。
訪ねてゆくと、よくベンチに腰掛けてゐました。
落葉が来ると、
足を引込めました。
彼は発狂し、モットオを熱弁し、
死んでゆきました。

夜空と酒場

夜の空は、広大であつた。
その下に一軒の酒場があつた。

空では星が閃《きら》めいてゐた。
酒場では女が、馬鹿笑ひしてゐた。

夜風は無情な、大浪のやうであつた。
酒場の明りは、外に洩れてゐた。

私は酒場に、這入《はい》つて行つた。
おそらく私は、馬鹿面さげてゐた。

だんだん酒は、まはつていつた。
けれども私は、酔ひきれなかつた。

私は私の愚劣を思つた。
けれどもどうさへ、仕方はなかつた。

夜空は大きく、星もあつた。
夜風は無情な、波浪に似てゐた。

夜店

アセチリンをともして、
低い台の上に商品を竝《なら》べてゐた、
僕は昔の夜店を憶《おも》ふ。
万年草を売りに出てゐた、
植木屋の爺々《じじい》を僕は憶ふ。

あの頃僕は快活であつた、
僕は生きることを喜んでゐた。

今、夜店はすべて電気を用ひ、
台は一般に高くされた。
僕は呆然《ぼうぜん》と、つまらなく歩いてゆく。
部屋《うち》にゐるよりましだと思ひながら。

僕にはなんだつて、つまらなくつて仕方がない。
それなのに今晩も、かうして歩いてゐる。
電車にも、人通りにも、僕は関係がない。

悲しき画面

私の心の、『過去』の画面の、右の端には、
女の額の、大きい額のプロフィルがみえ、
それは、野兎色のランプの光に仄照《ほのて》らされて、
嘲弄的な、その生《は》え際《ぎわ》に隈《くま》取られてゐる。
その眼眸《まなざし》は、画面の中には見出せないが、恐らくは
窮屈げに、あでやかな笑《ゑみ》に輝いて、『中立地帯』とおぼしき方に向けられてゐる。
そして、何故か私は、彼の女の傍《そば》に、
騎兵のサーベルと、長靴とを感ずるのだ――

読者よ、これは、その性情の無辜《むこ》のゆゑに、
いためられ、弱くされて、それの個性は、
その個性にふさはしき習慣を形づくるに、至らなかつた、
一人の男の、かなしい心の、『過去』の画面だ、……

今宵も心の、その画面の右の端には、
その額、大きい額のプロフィルがみえ、
野兎色のランプの光に仄照らされて、
ランプの焔の消長に、消長につれてゆすれてゐる……

雨と風

雨の音のはげしきことよ
風吹けば　ひとしほまさり、

風やめばつと和みつつ

雨風のさわがしき音よ
——悲しみに呆《ほう》けし我に、
雨風のさわがしき音よ！

悲しみに呆けし我の、
思ひ出はかそけきものよ
それに似て巷《ちまた》も家も
雨風にかすむでみえる

そがかすむ風情《ふぜい》の中に、
ちらと浮むわがありし日は
風の音に吹きけされつつ
雨の音と、我《あ》と、残るのよ

風雨

雨の音のはげしきことよ
風吹けばひとしほまさり
風やめば　つと和みつつ

雨風のあわただしさよ、
――悲しみに呆《ほう》けし我に、
雨風のあわただし音《ね》よ

悲しみに呆けし我の
思ひ出のかそけきことよ
それににて巷《ちまた》も家も
雨風にかすみてみゆる

そがかすむ風情の中に、

ふと浮むわがありし日よ
風の音にうちまぎれつつ
ふとあざむわがありし日よ

（吹く風を心の友と）

吹く風を心の友と
口笛に心まぎらはし
私がげんげ田を歩いてゐた十五の春は
煙のやうに、野羊《やぎ》のやうに、パルプのやうに、
とんで行つて、もう今頃は、
どこか遠い別の世界で花咲いてゐるであらうか
耳を澄ますと
げんげの色のやうにはぢらひながら遠くに聞こえる

あれは、十五の春の遠い音信なのだらうか
滲《にじ》むやうに、日が暮れても空のどこかに
あの日の昼のまゝに
あの時が、あの時の物音が経過しつつあるやうに思はれる

それが何処か？――とにかく僕に其処《そこ》へゆけたらなあ……
心一杯に懺悔して、
恕《ゆる》されたといふ気持の中に、再び生きて、
僕は努力家にならうと思ふんだ――

（秋の夜に）

秋の夜に、
僕は僕が破裂する夢を見て目が醒《さ》めた。

人類の背後には、はや暗雲が密集してゐる
多くの人はまだそのことに気が付かぬ

気が付いた所で、格別別様のことが出来だすわけではないのだが、
気が付かれたら、諸君ももつと病的になられるであらう。

デカダン、サンボリスム、キュビスム、未来派、
表現派、ダダイスム、スュルレアリスム、共同製作……

世界は、呻《うめ》き、躊躇《ちゆうちよ》し、萎《しぼ》み、
牛肉のやうな色をしてゐる。

然《しか》るに、今病的である者こそは、
現実を知つてゐるやうに私には思へる。

健全とははや出来たての銅鑼《どら》、
なんとも淋しい秋の夜です。

（支那といふのは、吊鐘の中に這入つてゐる蛇のやうなもの）

支那といふのは、吊鐘の中に這入《はい》つてゐる蛇のやうなもの。
日本といふのは、竹馬に乗つた漢文句調、
いや、舌ッ足らずの英国さ。

今二ァ人《ふたり》は事変を起した。
国際聯盟《れんめい》は気抜けた義務を果さうとしてゐる。

日本はちつとも悪くない！
吊鐘の中の蛇が悪い！

だがもし平和な時の満洲に住んだら、
つまり個人々々のつきあひの上では、
竹馬よりも吊鐘の方がよいに違ひない。

あゝ、僕は運を天に任す。
僕は外交官になぞならうとは思はない。
個人のことさへけりがつかぬのだから、
公のことなぞ御免である。

（われ等のヂェネレーションには仕事がない）

われ等のヂェネレーションには仕事がない。
急に隠居が流行《はや》らなくなつたことも原因であらう。
若い者はみな、スポーツでもしてゐるより仕方がない。
文学者だつてさうである。
年寄同様何にも出来ぬ。

（月はおぼろにかすむ夜に）

月はおぼろにかすむ夜に、
杉は梢を伸べてゐた。

（ポロリ、ポロリと死んでゆく）

俺の全身《ごたい》よ、雨に濡れ、
富士の裾野に倒れたれ
読人不詳

ポロリ、ポロリと死んでゆく。
みんな別れてしまふのだ。
呼んだつて、帰らない。
なにしろ、此の世とあの世とだから叶(かな)はない。

今夜《いま》にして、俺はやつとこ覚《さと》るのだ、
白々しい自分であつたと。
そしてもう、むやみやたらにやりきれぬ
（あの世からでも、俺から奪へるものでもあつたら奪つてくれ。

それにしてもが過ぐる日は、なんと浮はついてゐたことだ。
あますなきみじめな気持である時も
随分いい気でゐたもんだ。
（おまへの訃報《ふほう》に遇《あ》ふまでを、浮かれてゐたとはどうもはや。

風が吹く、
あの世も風は吹いてるか？
熱にほてつたその頬に、風をうけ、
正直無比な目で以て
おまへは私に話したがつてるのかも知れない……

——その夜、私は目を覚ます。

障子は破れ、風は吹き、
まるでこれでは戸外《そと》に寝てるも同様だ。
それでも俺はかまはない。
それでも俺はかまはない。
どうなつたつてかまはない。
なんで文句を云ふものか……

(疲れやつれた美しい顔よ)

疲れやつれた美しい顔よ、
私はおまへを愛す。
さうあるがよかつたかもしれない多くの元気な顔たちの中に、
私は容易におまへを見付ける。

それはもう、疲れしぼみ、
悔とさびしい微笑としか持つてはをらぬけれど、
それは此の世の親しみのかずかずが、
縺《もつ》れ合ひ、香となつて籠る壺なんだ。

そこに此の世の喜びの話や悲の話は、
彼のためには大きすぎる声で語られ、
彼の瞳はうるみ、
語り手は去つてゆく。

彼が残るのは、十分諦めてだ。
だが諦めとは思はないでだ。
その時だ、その壺が花を開く、
その花は、夜の部屋でみる、三色菫《さんしきすみれ》だ。

死別の翌日

生きのこるものはづうづうしく、
死にゆくものはその清純さを漂はせ、
物言ひたげな瞳を床の上にさまよはすだけで、
親を離れ、兄弟を離れ、
最初から独りであつたもののやうに死んでゆく。

さて、今日はよいお天気です。
街の片側は翳《かげ》り、片側は日射しをうけてあつたかい、
けざやかにもわびしい秋の午前です。
空は昨日までの雨に拭はれてすがすがしく、
それは海の方まで続いてゐることが分ります。

その空をみながら、また街の中をみながら、
歩いてゆく私はもはや此の世のことを考へず、

さりとて死んでいつた者のことも考へてはゐないのです。
みたばかりの死に茫然として、
卑怯にも似た感情を抱いて私は歩いてゐたと告白せねばなりません。

コキューの憶ひ出

その夜私は、コンテで以て自我像を画いた
風の吹いてるお会式《(えしき)》の夜でした
打叩く太鼓の音は風に消え、
私の机の上ばかり、あかあかと明《あか》り、
女はどこで、何を話してゐたかは知る由もない
私の肖《に》顔《がほ》は、コンテに汚れ、

その上に雨でもバラつかうものなら、
まこと傑作な自我像は浮び、
軋《きし》りゆく、終夜電車は、
悲しみの余裕を奪ひ、
あかあかと、あかあかと私の画用紙の上は、
けれども悲しい私の肖顔《にがほ》が浮んでた。

細心

傍若無人な、そなたの美しい振舞ひを、
その手を、まるで男の方を見ない眼を、
わたしがどんなに尊長したかは、

わたしはまるで俯向《うつむ》いてゐて
そなたを一と目も見なかつたけれど、
そなたは豹《ひよう》にしては鹿、
鹿にしては豹に似てゐた。

野卑な男達はそなたを堅い木材と感じ
節度の他に何にも知らぬ男達は、
そなたを護謨《ゴム》と感じてゐた。

されば私は差上げる、
どうせ此の世では報はれないだらうそなたの美のために、
白の手套《てぶくろ》とオリーヴ色のジャケツとを、
私が死んだ時、私の抽出《ひきだ》しからお取り下さい。

マルレネ・ディートリッヒ

なあに、小児病者の言ふことですよ、
そんなに美しいあなたさへ
あんな言葉を気にするなんて、
なんとも困つたものですね。

合言葉、二週間も口端にのぼれば、
やがて消えゆく合言葉、
精神の貧困の隠されてゐる
馬鹿者のグループでの合言葉。

それがあなたの美しさにまで何なのでせう!
その脚は、形よいうちにもけものをおもはせ、
あなたの祖先はセミチック、
亜米利加《アメリカ》古曲に聴入る風姿《ふぜい》、

ああ、そのやうに美しいあなたさへ
あんな言葉に気をとられるなんて、
浮世の苦労をなされるなんて、
私にはつまんない、なにもかもつまんない。

秋の日曜

私の部屋の、窓越しに
みえるのは、エヤ・サイン
軽くあがつた　二つの気球

青い空は金色に澄み、
そこから茸《きのこ》の薫りは生れ、
娘は生れ夢も生れる。

でも、風は冷え、
街はいつたいに雨の翌日のやうで
はじめて紹介される人同志はなじまない。

誰もかも再会に懐しむ、
あの貞順な奥さんも
昔の喜びに笑ひいでる。

（ナイヤガラの上には、月が出て）

ナイヤガラの上には、月が出て、
雲もだいぶん集つてゐた。
波頭《はとう》に月は千々に砕けて、
どこかの茂みでは、ギタアを弾《かな》でてゐた。

僕は、発電所の中に飛び込んでいつて、
番人に、わけの分らぬことを訊《たず》ね出した。
番人は僕の様子をみて驚いて、
お静かに、お静かに、といつた。

ナイアガラの上には、月が出て、
僕は中世の恋愛を夢みてゐた。
僕は発動機船に乗つて、
奈落の果まで行くことを願つてゐた。

糸が切れた、となさけない声。
それは僕の釣友達であつた。
わたしのをお使ひさんせー、遠慮いりいせん、
それは船頭の息子だつた。

滝の音は、何時まで響き、
月の光は、砕けてゐた。

（汽笛が鳴つたので）

汽笛が鳴つたので、
僕は発車だと思つた。
冗談ぢやない、人間の眼が蜻蛉《とんぼ》の眼ででもあるといふのかと、
昇降口では、二人の男が嬉しげに騒いでゐた。

沖には、汽船が通つてゐた。
白とオレンジとに染分けてゐた。

硝子《ガラス》の響きは、
大人の涎《よだれ》と縁がある。
また隧道《トンネル》であるといふことは、
なんとも自由の束縛である。

樹々は野に立つてゐる、
従順な娘達ともみられないことはない。
空は青く、飴色の牛がゐないといふことは間違つてゐる。
僕の眼も青く、大きく、哀れであつた。

（七銭でバットを買つて）

七銭でバットを買つて、
一銭でマッチを買つて、
――ウレシイネ、
僕は次の峠を越えるまでに、
バットは一と箱で足りると思つた。

山の中は暗くつて、
顔には蜘蛛の巣が一杯かかつた。
小さな月が出てゐるにはゐたが、
それでも木の繁つた所は暗かつた。

ア、バアバアバアバ、
僕は赤ッ坊の時したことを繰返した。
誰も通るものはなかつた。

暫《しばら》くゆくと自転車を坂の下に落として、
自分一人は草を摑《つか》めば上れるが、自転車を置いとくわけにもいかず
といふ災難者にあつた。

自転車に紐か何か付いてるでせう、と僕は云つた。
へい、――それには全く気が付きませんでした、
自転車は月の光を浴びながら、
ガタ〳〵といつて引揚げられた。

――いつたい何処までゆきなさる、
――いいえ、兄の嫁の危篤を知らせに、此の下の村まで一寸《ちよつと》。

自転車の前の、ランプが灯《とも》つた。――おとなしさうな男である。
僕は煙草に火を点《つ》けて、去りゆく光を眺めてゐた。

アババババ、アババババ、

（それは一時の気の迷ひ）

それは一時の気の迷ひ、
あきらめなされといふけれど、

迷ひがほんとかほんとが迷ひか、
迷ひこそほんとうであらうとおもふ

いいえ、いけませんいけません、
そんなことはいけません、か？

なんでいけないといふのやら、
理由はまだ誰からも聞かぬ

だつて、あなた、だつて、だつてか、
——なんとも退屈な人生ではある
何時教はり、何処《どこ》で覚えたとも分らない、
こんな真面目面《づら》を、この小娘はしてゐるよ

かくて人間は生れ、人間は死に、
だつて、あなた、だつて、だつてだ

少しばかりの憧れと、盛り沢山な世話場との
チエッ、結構な佃煮《つくだに》だい。

（僕達の記憶力は鈍いから）

僕達の記憶力は鈍いから、
僕達は、その人の鬚《ひげ》くらゐしか覚えてをらぬ
嘗《かつ》てその人がシガレットケースをパンと開いて、
エヂプト煙草を取り出したこともも忘れてゐる。
明治天皇御大葬、あゝあの頃はほんによかつた、
僕は生き神様が亡くなられたといふことはどんなことだか分らなかつた。
号外は盛んに出、僕はそれを受取ると急いで家の中に駆込んだ。

あの頃は蚊が、今より多かつたやうな気がする。
その人は、父の親友で、毎日々々遊びに来てゐた。
僕をみると何にも言はないで、ニコニコ笑つてゐた。
後、僕達が其《そ》の土地を去つてから、
その人の奥さんが学生と駆落したことが新聞に出た。
母は涙ぐんでゐた、父は眼鏡を拭いてゐた。
僕はそんなことがどうして大したことなのか分らなかつた。
今僕はそれが大したことだと分るやうになつた。
そして六十の老人のやうな心で、生きてゐる。

（南無　ダダ）

南無　ダダ
足駄なく、傘なく
　青春は、降り込められて、
　水溜り、泡《あぶく》は
　　のがれ、のがれゆく。
人よ、人生は、騒然たる沛雨《はいう》に似てゐる
　線香を、焚いて
　　部屋にはゐるべきこと。
色町の女は愛嬌、
　この雨の、中でも挨拶をしてゐる
青い傘

　植木鉢も流れ、
　水盤も浮み、
池の鯉はみな、逃げてゆく

永遠に、雨の中、町外れ、出前持ちは猪突《ちょとつ》し、
　私は、足駄なく傘なく、
茲《ここ》、部屋の中に香を焚いて、
チウインガムも嚙みたくはない。

（頭を、ボーズにしてやらう）

頭を、ボーズにしてやらう
囚人刈りにしてやらう

ハモニカを吹かう
殖民地向きの、気軽さになつてやらう

荷物を忘れて、
引き越しをしてやらう

Anywhere out of the world
池の中に跳び込んでやらう

車夫にならう
債券が当つた車夫のやうに走らう

貯金帳を振り廻して、
永遠に走らう

奥さん達が笑ふだらう
歯が抜ける程笑ふだらう

Anywhere out of the world
真面目臭《くさ》つてゐられるかい。

(自然といふものは、つまらなくはない)

自然といふものは、つまらなくはない、
歯医者の女房なぞといふのが、つまらないのだ。
よくもまああんなにしらばつくれてる、
でもね、あいつらにはあいつらで感情の世界があるのだ。
どつちみち心悸亢進《しんきこうしん》には近づきつつあるのだが、
そのうち隠居するといふ寸法なんだ。
つまりまあ馬鹿でなければ此の世に問題はない。

問題がなければ生きてはゐられない。

（月の光は音もなし）

月の光は音もなし、
蟲《むし》の鳴いてる草の上
月の光は溜ります

蟲はなかなか鳴きまする
月ははるかな空にゐて
見てはゐますが聞こえない。

蟲は下界のためになき、
月は上界照らすなり、
蟲は草にて鳴きまする。

やがて月にも聞えます、
私は蟲の紹介者
月の世界の下僕です。

(他愛もない僕の歌が)

他愛もない僕の歌が、
何かの役には立つでせうか?
僕の気は余り確かではありません
僕は死んだ方がましだと昨日思ひました

芸術とは、畢《つい》に生活の余裕の
アナルキスチイクな希望です。
世話場への関心は、

詩人には何の利益をも齎《もたら》しません。

この上もう一段余裕がなくなれば、
カチカチのパンを寝床の上でかぢりながら、
汲み置きの水を飲みながら、

ギタアのレコードかけて、
泣き笑ひしたり、洟《はな》をかんだり、
いとも壮厳《そうごん》な死に際を演じてごらんにいれます。

嬰　児

カワイラチイネ、
おまへさんの鼻は、人間の鼻の模型だよ、
ホ、笑つてら、てんでこつちが笑ふと、

いよいよ尤《もつと》もらしく笑ひ出す、おまへは
俺の心を和げてくれるよ、ほんにさ、無精《むしよう》に和げてくれる、

その眼は大人つぽく、
横顔は、なんだか世間を知つてるやうだ、
おまへを俺がどんなに愛してゐるか、
おまへは知らないけれど知つてるやうなもんだ。

ホ、また笑つてる、声さへ立てて笑つてゐる、
そのやうな笑ひを大人達は頓馬《とんま》な笑ひだといふ。
けれども俺は知つてゐる、
生れてきたことは嬉しいことなんだ
ただそれだけで既に十分嬉しいことなんだ

なんにもあせることなく、ただノオノオと、
生きてゐられる者があつたらそいつはほんとに偉いんだ、
俺は知つてゐる、おまへのやうに
生きてゐるだけで既に嬉しい心を私は十分知つてゐる。

（宵に寝て、秋の夜中に目が覚めて）

宵に寝て、秋の夜中に目が覚めて
汽車の汽笛の音《ね》を聞いた。

三富朽葉《くちば》よ、いまいづこ、
明治時代よ、人力も
今はすたれて瓦斯燈《ガスとう》は
記憶の彼方《かなた》に明滅す。

宵に寝て、秋の夜中に目が覚めて
汽車の汽笛の音を聞いた。

　亡き明治ではあるけれど
　豆電球をツトとぼし
秋の夜中に天井を

みれば明治も甦る《よみがえ》る。

あゝ甦れ、甦れ、
今宵故人が風貌の
げになつかしいなつかしい。
死んだ明治も甦れ。

宵に寝て、秋の夜中に目が覚めて
汽車の汽笛の音を聞いた。

酒場にて（初稿）

今晩ああして元気に語り合つてゐる人々も、
実は元気ではないのです。

諸君は僕を「ほがらか」でないといふ。
然《しか》し、そんな定規みたいな「ほがらか」は棄て給へ。

ほんとのほがらかは、
悲しい時に悲しいだけ悲しんでゐられることでこそあれ。

さて　諸君の或者《ある》は僕の書いた物を見ていふ、
「あんな泣き面で書けるものかねえ?」

が、冗談ぢやない、
僕は僕が書くやうに生きてゐたのだ。

酒場にて（定稿）

今晩あゝして元気に語り合つてゐる人々も、

実は、元気ではないのです。
近代《いま》といふ今は尠《すくな》くも、
あんな具合な元気さで
ゐられる時代《とき》ではないのです。

諸君は僕を、「ほがらか」でないといふ。
しかし、そんな定規みたいな「ほがらか」なんぞはおやめなさい。
ほがらかとは、恐らくは、
悲しい時には悲しいだけ
悲しんでられることでせう？

されば今晩かなしげに、かうして沈んでゐる僕が、
輝き出でる時もある。

さて、輝き出でるや、諸君は云ひます、
「あれであゝなのかねえ、

不思議みたいなもんだねえ」。
が、冗談ぢやない、
僕は僕が輝けるやうに生きてゐた。

（一九三六・一〇・一）

こぞの雪今いづこ

みまかりし、吾子《あこ》はもけだし、今頃は
何をか求め、歩《あり》くらん？……
薄曇りせる、磧《かわら》をか？
何をも求《と》めず、歌うたひ
たゞひとりして、歩《あり》くらん
何をも求《と》めず、生きし故、

何をも求《と》めず、暮らすらん。
何さへ求《と》めず、歌うたひ、
さびしとさへも、云ひ出でず、
たゞひとりして、歩《あり》くらん。

さば、かくてこそ、あらばあれ、
さてそののちは、如何《いか》ならん？
たゞつぶらなる、瞳して
空を仰いで、ありもすれ、
さてそれだけにて、あるらんか？

もし、それだけの、ことならば、
よしそのうちに、欣怡《よろこび》の、
十分そなはるものとしても、
なほ今生なるわが身には
いたましこととおもはるなり。

なにせよ分らぬことなれば

分らぬことゝは知りながら
分りたいとは思ふなり
吾子は如何に、なせるらん。
吾子はも何を、なせるらん。

想ひもとどかぬことなれば
想ひとゞかぬことかなと、
いまさらわれは、思ふなり。
せめて吾子はもあの世より
この身にピストル撃ちもせば

こよなきことにぞ思ふなるを
さるをピストル撃たばこそ、
石ばかりなる、磧なれ、
鴉声《あせい》くらゐは聞けもすれ、
薄曇りせる、かの空を
眺めてありく　ばかりなれ、

げにさばかりのことなれば、
げに命とや、何事ぞ？
なにせよ何も分らねば、
分りたいとは、思ふなり。

草稿詩篇（一九三一年—一九三二年）

三毛猫の主《あるじ》の歌へる

青山二郎に

むかし、おまへは黒猫だつた。
いまやおまへは三毛猫だ、
いく歳月の漂浪のために。
そして、わたしは、三毛猫の主《あるじ》だ。

わたしは、それを嘆きはしまい、
わたしはそれを、怨みはしまい。
われら二人をめぐる不運は
われらを弱めることによつて甦《よみがえ》つた。

さは、さりながら、おまへ、遐日《むかし》の黒猫よ、
わたしはおまへの、単一を惜む！
わたしはおまへの、単一な地盤の上にて

生長すべかりしことを懐《おも》ふ！
その季節《とき》やいま失はれて、
おまへは患《うれ》へ、わたしはおまへの患へを患へる。

（一九三一・六・一）

疲れやつれた美しい顔

疲れやつれた美しい顔よ、
私はおまへを愛す。
さうあるべきがよかつたかも知れない多くの元気な顔たちの中に、

私は容易におまへを見付ける。

それはもう、疲れしぼみ、
悔とさびしい微笑としか持つてはをらぬけれど、
それは此の世の親しみのかずかずが、
縺《もつ》れ合ひ、香となつて籠る壺なんだ。

そこに此の世の喜びの話や悲みの話は、
彼のためには大きすぎる声で語られ、
彼の瞳はうるみ、
語り手は去つてゆく。

彼が残るのは、十分諦めてだ。
だが諦めとは思はないでだ。
その時だ、その壺が花を開く、
その花は、夜の部屋にみる、三色菫《さんしきすみれ》だ。

死別の翌日

生きのこるものはづうづうしく、
死にゆくものはその清純さを漂はせ
物云ひたげな瞳を床《ゆか》にさまよはすだけで、
親を離れ、兄弟を離れ、
最初から独りであつたもののやうに死んでゆく。

さて、今日はよいお天気です。
街の片側は翳《かげ》り、片側は日射しをうけて、あつたかい
けざやかにもわびしい秋の午前です。
空は昨日までの雨に拭はれて、すがすがしく、
それは海の方まで続いてゐることが分ります。

その空をみながら、また街の中をみながら、
歩いてゆく私はもはや此の世のことを考へず、

さりとて死んでいつたもののことも考へてはゐないのです。
みたばかりの死に茫然として、
卑怯にも似た感情を抱いて私は歩いてゐたと告白せねばなりません。

Tableau Triste

A・O・に。

私の心の、『過去』の画面の、右の端には、
女の額の、大きい額のプロフィルがみえ、
それは、野兎色のランプの光に仄照《(ほのて)》らされて、
嘲弄的な、その生《は》え際《ぎは》に隈取《(くまど)》られてゐる。

その眼眸《まなざし》は、画面の中には見出せないが、恐らくは
窮屈げに、あでやかな笑《ゑみ》に輝いて、中立地帯に向けられてゐる。
そして、なぜか私は、彼の女の傍《そば》に、
騎兵のサーベルと、長靴を感ずる——

読者よ、これは、その性情の無辜《むこ》のために、
いためられ、弱くされて、それの個性は、
それの個性の習慣を形づくるに至らなかつた、
一人の男の、かなしい心の、『過去』の画面、……

今宵も、心の、その画面の右の端には、
その額、大きい額のプロフィルがみえ、
野兎色の、ラムプの光に仄照らされて、
ラムプの焔の消長に、消長につれてゆすれてゐる。

青木三造

序歌の一

こころまこともあらざりき

不実といふにもあらざりき
ゆらりゆらりとゆらゆれる
海のふかみの海草《うみくさ》の
おぼれおぼれて、溺れたる
ことをもしらでゆらゆれて

ゆふべとなれば夕凪（ゆうなぎ）の
かすかに青き空慕ひ
ゆらりゆらりとゆれてある
海の真底の小暗きに
しほざゐあはくとほにきき
おぼれおぼれてありといへ

前後《せんご》もあらぬたゆたひは
それや哀しいうみ草の
なさけのなきにつゆあらじ
やさしさあふれゆらゆれて
あをにみどりに変化《へんげ》すは

海の真底の人知らぬ
涙をのみてあるとしれ

その二

冷たいコップを燃ゆる手に持ち
夏のゆふべはビールを飲まう
どうせ浮世はサイアウが馬
　チヤツチヤつぎませコップにビール
明けても暮れても酒のことばかり
これぢやどうにもならねやうなもんだが
すまねとおもふ人様もあるが
　チヤツチヤつぎませコップにビール
飲んだ、飲んだ飲んだ、とことんまで飲んだ
飲んで泡吹けあ夜空も白い
白い夜空とは、またなんと愉快ぢやないか
チヤツチヤつぎませコップにビール。

材木

立つてゐるのは、材木ですぢやろ、
　野中の、野中の、製材所の脇。
立つてゐるのは、空の下《もと》によ、
　立つてゐるのは材木ですぢやろ。

日中《ひなか》、陽をうけ、ぬくもりますれば、
　樹脂《やに》の匂ひも、致そといふもの。
夜《よる》は夜《よる》とて、夜露《よつゆ》うければ、
　朝は朝日に、光ろといふもの。

立つてゐるのは、空の下によ、
　立つてゐるのは、材木ですぢやろ。

脱毛の秋　Etudes

1

それは冷たい。石のやうだ
過去を抱いてゐる。
力も入れないで
むつちり緊《しま》つてゐる。

捨てたんだ、多分は意志を。
享受してるんだ、夜《よる》の空気を。
流れ流れてゐてそれでも
ただ崩れないといふだけなんだ。

脆《もろ》いんだ、密度は大であるのに。
やがて黎明《あけぼの》が来る時、
それらはもはやないだらう……

それよ、人の命の聴く歌だ。
——意志とはもはや私には、
あまりに通俗な声と聞こえる。

2

それから、私には疑問が遺《のこ》つた。
それは、蒼白いものだつた。
風も吹いてゐたかも知れない。
老女の髪毛が顫《ふる》へてゐたかも知れない。

コークスをだつて、強《あなが》ち莫迦《ばか》には出来ないと思つた。

3

所詮、イデエとは未決定的存在であるのか。
而《しか》して未決定的存在とは、多分は
嘗《かつ》て暖かだつた自明事自体ではないのか。

僕はもう冷たいので、それを運用することを知らない。
僕は一つの藍玉(あいだま)を、時には速く時には遅くと
溶かしてゐるばかりである。

4

僕は僕の無色の時間の中に投入される諸現象を、
まづまあ面白がる。

無色の時間を彩るためには、
すべての事物が一様の値ひを持つてゐた。
まづ、褐色の老書記の元気のほか、
僕を嫌がらすものとてはなかつた。

V

瀝青《チヤン》色の空があつた。
一と手切《ちぎ》りの煙があつた。
電車の音はドレスデン製の磁器を想はせた。

私は歩いてゐた、私の膝は櫟材《くぬぎざい》だつた。
風はショウインドーに漣《さざなみ》をたてた。
私は常習の眩暈《めまい》をした。
それは枇杷《びわ》の葉の毒に似てゐた。
私は手を展《ひろ》げて、二三滴雨滴を受けた。

VI

風は遠くの街上にあつた。
女等はみな、白馬になるとみえた。
ポストは夕陽に悪寒《をかん》してゐた。
僕は褐色の鹿皮の、蝦蟇口《がまぐち》を一つ欲した。
直線と曲線の両観念は、はじめ混《まざ》り合はさりさうであつたが、
まもなく両方消えていつた。
僕は一切の観念を嫌憎する。
凡《あら》ゆる文献は、僕にまで関係がなかつた。

7

それにしてもと、また惟《おも》ひもする
こんなことでいいのだらうか、こんなことでいいのだらうか？……
然《しか》し僕には、思考のすべはなかつた

風と波とに送られて
ペンキの剝《は》げたこのボート
愉快に愉快に漕げや舟

僕は僕自身の表現をだつて信じはしない。

8

とある六月の夕《ゆふべ》、
石橋の上で岩に漂ふ夕陽を眺め、
橋の袂《たもと》の薬屋の壁に、
松井須磨子のビラが翻《ひるがえ》るのをみた。

――思へば、彼女はよく肥つてゐた
綿のやうだつた
多分今頃冥土では、
石版刷屋の女房になつてゐる。――さよなら。

9

私は親も兄弟もしらないといつた
ナポレオンの気持がよく分る

ナポレオンは泣いたのだ
泣いても泣いても泣ききれなかつたから
なんでもいい泣かないことにしたんだらう

人の世の喜びを離れ、
縁台の上に莚《むしろ》を敷いて、
夕顔の花に目をくれないことと、
反射運動の断続のほか、

私に自由は見出だされなかつた。

幻想

1

何時かまた郵便屋は来るでせう。
街の蔭つた、秋の日でせう、
あなたはその手紙を読むでせう
肩掛をかけて、読むでせう
窓の外を通る未亡人達は、
あなたに不思議に見えるでせう。
その女達に比べれば、

あなた自身はよつぽど幸福に思へるでせう

そして喜んで、あなたはあなたの悩みを悩むでせう
人々はそのあなたを、すがすがしくは思ふでせう

けれどそれにしても、あなたの傍の卓子《テーブル》の上にある
手套《てぶくろ》はその時、どんなに蒼ざめてゐるでせう

2

乳母車を輓《ひ》け、
紙製の風車を附けろ、
郊外に出ろ、
墓参りをしろ。

3

ブルターニュの町で、
秋のとある日、
窓硝子《まどガラス》はみんな割れた。

石畳は、乙女の目の底に
忘れた過去を偲《しの》んでゐた、
　ブルターニュの町に辞書はなかつた。

4

市場通ひの手籠が唄ふ
夕《ゆふべ》の日蔭の中にして、
歯槽膿漏たのもしや、
　女はみんな瓜《うり》だなも。

瓜は腐りが早からう、
そんなものならわしや嫌ひ、
歯槽膿漏さながらに
　女はみんな瓜だなも。

5

雨降れ、

瓜の肌には冷たかろ。
空が曇つて町曇り、
歴史が逆転はじめるだろ。

祖父《ぢい》さん祖母《ばあ》さんゐた頃の、
影象レコード廻るだろ
肌は冷たく、目は大きく
相寄る魂いぢらしく

オルガンのやうになれよかし
愛嬌なんかはもうたくさん
胸掻き乱さず生きよかし
雨降れ、雨降れ、しめやかに。

6

昨日は雨でしたが今日は晴れました。
女はばかに気取つてゐました。
　昨日悄気《しよげ》たの取返しに。

罪のないことです、
さも強さうに、産業館に這入《はい》つてゆきます、
　要らない品物一つ買ふために。

僕は輪廻ししようと思つたのだが、
輪は僕が突き出す前に駆け出しました。
好いお天気の朝でした。

秋になる朝

たつたこの間まで、四時には明るくなつたのが
五時になつてもまだ暗い、秋来る頃の
あの頃のひきあけ方のかなしさよ。

ほのしらむ、稲穂にとんぼとびかよひ
何事もなかつたかのやう百姓は
朝露に湿つた草鞋《わらじ》蹈《ふ》みしめて。

僕達はまだ睡い、睡気で頭がフラフラだ、それなのに
涼風は、おまへの瞳をまばたかせ、あの頃の涼風は
たうもろこしの葉やおまへの指股に浮かぶ汗の味がする
やがて工場の煙突は、朝空に、ばらの煙をあげるのだ。

恋人よ、あの頃の朝の涼風は、
たうもろこしの葉やおまへの指股に浮かぶ汗の匂ひがする
さうして僕は思ふのだ、希望は去つた、……忍従が残る。
忍従が残る、忍従が残ると。

お会式の夜

十月の十二日、池上の本門寺、
東京はその夜、電車の終夜運転、
来る年も、来る年も、私はその夜を歩きとほす、
太鼓の音の、絶えないその夜を。

来る年にも、来る年にも、その夜はえてして風が吹く。
吐く息は、一年の、その夜頃から白くなる。
遠くや近くで、太鼓の音は鳴つてゐて、
頭上に、月は、あらはれてゐる。

その時だ　僕がなんといふことはなく
落漠たる自分の過去をおもひみるのは
まとめてみようといふのではなく、
吹く風と、月の光に仄《ほの》かな自分を思んみるのは。

思へば僕も年をとつた。
辛いことであつた。
それだけのことであつた。
　――夜が明けたら家に帰つて寝るまでのこと。

十月の十二日、池上の本門寺、
東京はその夜、電車の終夜運転、
来る年も、来る年も、私はその夜を歩きとほす、
太鼓の音の、絶えないその夜。

（一九三二・一〇・一五）

蒼ざめし我の心に

君知るや、廃墟の木魂《こだま》……

低空に、砂埃《すなぼこ》りして
中空に、かなしくはとび、
大空に、消えもやするや

我は知る、人間の心労を！
我は知る、喜びを、かなしびを
我は知る、額の汗を、
不時の災難を、我は知るなり！

嘗《かつ》て、母に仕へたりし娘《こ》よ、
台所の響きよ、野仕事に疲れし男よ
それら今日、いかにかなりし……
森の木末《こずえ》の、風そよぐのみにして

あゝ、忘れよや、わが心、廃墟の木魂……
忘れよや、森の響きを、
忘れよや、物の響きよ、
忘れよや！　空の思ひを……

（辛いこつた辛いこつた！）

辛いこつた辛いこつた！
なまなか伝説的存在にされて
あゝ、この言語玩弄者達の世に、
なまなか伝説的存在にされて、
（パンを奪はれ花は与へられ）
あゝ、小児病者の横行の世に！

奴等の頭は言葉でガラガラになり、
奴等の心は根も葉もないのだ。
野望の上に造花は咲いて
迷つた人心は造花に凭《すが》る。
造花作りは花屋を恨む、
さて、花は造花程口がきけない。

造花造りの羽振のよさは、
あゝ、滑稽なこつた滑稽なこつた。
それが滑稽だとみえないばかりに、
花の言葉はみなしやらくさい。
舌もつれようともつれまいと
花に嘘などつけはしないんだ。

修羅街挽歌　其の二

I　友に与ふる書

暁は、紫の色、
明け初《（そ）》めて
わが友等みな、
我を去るや……
　否よ否、
暁は、紫の色に、

明け初めてわが友等みな、
一堂に、会するべしな。
弱き身の、
強がりや怯《おび》え、おぞまし
弱き身の、弱き心の
強がりは、猶《なお》おぞましけれど
恕《ゆる》せかし　弱き身の
さるにても、心なよらか
弱き身の、心なよらか
折ることなし。

II　ゴムマリの歌

ゴムマリか、なさけない
ゴムマリか、なさけない
ゴムマリは、キャラメル食べて
ゴムマリは、ギッタギダギダ

（II　一九三二・一二・二七　Matin）

ゴムマリは、ころべどころべど
ゴムマリはゴムのマリなり
ゴムマリを待つは不運か
ゴムマリは、涙流すか

ゴムマリは、ころんでいつて、
ゴムマリは、天寿に至る
ゴムマリは、天寿に至り
ゴムマリは天寿のマリよ

（I　一九三二・一二・二七　Matin）

III

強がつた心といふものが、
それがゴムマリみたいなものだといふことは分る
ゴムマリといふものは
幼稚園ではある

ゴムマリといふものが、

幼稚園であるとはいへ
幼稚園の中にも亦《また》
色んな童児があらう

金色の、虹の話や
蒼穹《そうきゆう》を歌ふ童児、
金色の虹の話や、
蒼穹を、語る童児、

又、鼻ただれ、眼はトラホーム、
涙する、童児もあらう

いづれみな、人の姿ぞ
いづれみな、人の心の、折々の姿であるぞ

Ⅳ

僕が、妥協的だと思つては不可《いけ》ない
僕は、妥協する、わけではない

僕には、たくらみがないばかりだ
僕の心持は、どう変りやうもありはしない

僕の心持が、ときどきとばつちることはあつたが
それは僕の友が、少々つれなかつたからでもあつた。
もちろん僕が、頑《かたく》なであつたには相違ないが、
それにしても、君等、少々冷淡であつた。

風の中から僕が抜け出て来た時
一寸《ちよつと》ばかり、唇《くち》が乾いてゐたとて
一寸ばかり、それをみてさへくれれば、
僕も猶和やかであつたらう

でもまあいい、もうすんだこと
これからは　僕も亦猶
ヒステリックになるまいゆゑに
君等また　はやぎめで顔見合せて嬉しがらずに呉《く》れ。

ノート翻訳詩（一九三三年）

（僕の夢は破れて、其処に血を流した）

僕の夢は破れて、其処《そこ》に血を流した。
あとにはキラキラ、星が光つてゐた。

雲は流れ
月は隠され、
声はほのぼのと芒《すすき》の穂にまつはりついた。

《泣かないな、
俺は泣いてゐないな》

僕はさういつてみるのであつた。
涙も出なかつた。鼻血も出た。

（土を見るがいい）

土を見るがいい、
土は水を含むで黒く、
のつかつてる石ころだけは夜目にも白く、
風は吹き、頸に寒く
風は吹き、雨雲を呼び、
にぢられた草にはつらく、
風は吹き、樹の葉をそよぎ
風は吹き、黒々と吹き

葱《ねぎ》はすつぽりと立つてゐる
その葱を吹き、
その葱の揺れ方は赤ン坊の脛《はぎ》ににてゐる。

（卓子に、俯いてする夢想にも倦きると）

卓子《テーブル》に、俯《うつむ》いてする夢想にも倦《あ》きると、
僕は窓を開けて僕はみるのだ
　星とその、背後の空と、
　石盤の、冷たさに似て、
　吹く風と、逐《お》ひやらる、小さな雲と
窓を閉めれば星の空、その星の空
その星の空？　否、否、否、

否　否　否　否　否　否　否　否否否否否否否否

（星は、何を、話したがつてゐたのだらう？）
（星はなんにも語らうとしてはゐない。）

（では、あれは、何を語らうとしてゐたのだらう？）
（なんにも、語らうと、してはゐない。）

小　景

河の水は濁つて
夕陽を映して銹色《さびいろ》をしてゐる。
荷足《にたり》はしづ〳〵とやつて来る。
竿さしてやつて来る。
その船頭の足の皮は、

乾いた舟板の上を往つたり来たりする。

荷足はしづしづと下つてゆく。
竿さして下つてゆく。
船頭は時偶《ときたま》一寸《ちよつと》よそ見して、
竿さすことは忘れない。
船頭は竿さしてゆく。
船頭は、夕焼の空さして下る。

蛙声

郊外では、
夜は沼のやうに見える野原の中に、
蛙が鳴く。

それは残酷な、
消極も積極もない夏の夜の宿命のやうに、
毎年のことだ、

郊外では、
毎年のことだ今時分になると沼のやうな野原の中に、
蛙が鳴く。

月のある晩もない晩も、
いちやうに厳かな儀式のやうに義務のやうに、
地平の果にまで、
月の中にまで、
しみこめとばかり廃墟礼讃の唱歌のやうに、
蛙が鳴く。

（蛙等は月を見ない）

蛙等は月を見ない
恐らく月の存在を知らない
彼等は彼等同志暗い沼の上で
蛙同志いつせいに鳴いてゐる。

月は彼等を知らない
恐らく彼等の存在を想つてみたこともない
月は緞子《どんす》の着物を着て
姿勢を正し、月は長嘯《ちようしよう》に忙がしい。

月は雲にかくれ、月は雲をわけてあらはれ、
雲と雲は離れ、雲と雲とは近づくものを、
僕はゐる、此処《ここ》にゐるのを、蛙等は、
いつせいに、蛙等は蛙同志で鳴いてゐる。

（蛙等が、どんなに鳴かうと）

蛙等が、どんなに鳴かうと
月が、どんなに空の游泳術に秀でてゐようと、
僕はそれらを忘れたいものと思つてゐる
もつと営々と、営々といとなみたいとなみが、
もつとどこかにあるといふやうな気がしてゐる。

月が、どんなに空の游泳術に秀でてゐようと、
蛙等がどんなに鳴かうと、
僕は営々と、もつと営々と働きたいと思つてゐる。
それが何の仕事か、どうしてみつけたものか、
僕はいつからに知らないでゐる

僕は蛙を聴き
月を見、月の前を過ぎる雲を見て、

僕は立つてゐる、何時までも立つてゐる。
そして自分にも、何時かは仕事が、
甲斐のある仕事があるだらうといふやうな気持がしてゐる。

Qu'est-ce que c'est ?

蛙が鳴くことも、
月が空を泳ぐことも、
僕がかうして何時まで立つてゐることも、
黒々と森が彼方《かなた》にあることも、
これはみんな暗がりでとある時出つくはす、
見知越《みしりご》しであるやうな初見であるやうな、
あの歯の抜けた妖婆《ようば》のやうに、
それはのつぴきならぬことでまた
逃れようと思へば何時でも逃れてゐられる

さういふふうなことなんだ、あゝさうだと思つて、
坐臥常住の常識観に、
僕はすばらしい籐椅子にでも倚《よ》つかゝるやうに倚つかゝり、
とにかくまづ羞恥の感を押鎮《おしし》づめ、
ともかくも和やかに誰彼のへだてなくお辞儀を致すことを覚え、
なに、平和にはやつてゐるが、
蛙の声を聞く時は、
何かを僕はおもひ出す。何か、何かを、
おもひだす。

Qu'est-ce que c'est ?

孟夏谿行

この水は、いづれに行くや夏の日の、
山は繁れり、しづもりかへる

瀬の音は、とほに消えゆき
乗れる馬車、馬車の音のみ聞こえゐるかも

この橋は、土橋《どばし》、木橋《きばし》か、石橋か、
蹄《ひづめ》の音に耳傾くる

山竝《(やまなみ)》は、しだいにあまた、移りゆく
展望のたびにあらたなるかも

草稿詩篇（一九三三年―一九三六年）

（あゝわれは　おぼれたるかな）

あゝわれは　おぼれたるかな
物音は　しづみてゆきて
燈火《ともしび》は　いよ明るくて
あゝわれは　おぼれたるかな

母上よ　涙ぬぐひてよ
朝《あした》には　生みのなやみに
けなげなる小馬の鼻翼
紫の雲のいろして

たからかに希《ねが》ひはすれど
たからかに希ひはすれど
轣轆《れきろく》と轎《くるま》ねりきて

澄みにける羊は瞳
瞼《まぶた》もて暗きにゐるよ

小唄

僕は知つてる煙《けむ》が立つ
　三原山には煙が立つ

行つてみたではないけれど
　雪降り積つた朝《あした》には

寝床の中で呆然《ぼうぜん》と
　煙草くゆらせ僕思ふ
三原山には煙《けむ》が立つ
三原山には煙が立つ

（一九三三・二・一七）

早春散歩

空は晴れてても、建物には蔭があるよ、
春、早春は心なびかせ、
それがまるで薄絹ででもあるやうに
ハンケチででもあるやうに
我等の心を引千切《ひきちぎ》り

きれぎれにして風に散らせる

私はもう、まるで過去がなかつたかのやうに
少くとも通つてゐる人達の手前さうであるかの如くに感じ、
風の中を吹き過ぎる
異国人のやうな眼眸《まなざし》をして、
確固たるものの如く、
また隙間風にも消え去るものの如く

さうしてこの淋しい心を抱いて、
今年もまた春を迎へるものであることを
ゆるやかにも、茲《ここ》に春は立返つたのであることを
土の上の日射しをみながらつめたい風に吹かれながら
土手の上を歩きながら、遠くの空を見やりながら
僕は思ふ、思ふことにも慣れきつて僕は思ふ……

（形式整美のかの夢や）

▲

高橋新吉に

形式整美のかの夢や
羅馬《ローマ》の夢はや地に落ちて、
我今日し立つ嶢角《ぎようかく》の
土硬くして風寒み

希望ははやも空遠く
のがるる姿我は見ず
脛《はぎ》は荒るるにまかせたる
我や白衣の巡礼と

身は風にひらめく幟《のぼり》とも
長き路上にをどりいで

自然を友に安心立命
血は不可思議の歌をかなづる

（一九三三・四・二四）

（風が吹く、冷たい風は）

▲

風が吹く、冷たい風は
窓の硝子《ガラス》に蒸気を凍りつかせ
それを透かせてぼんやりと
遠くの山が見えまする汽車の朝

僕の希望も悔恨も
もう此処《ここ》までは従《つ》いて来ぬ
僕は手ぶらで走りゆく

胸平板《むねへいばん》のうれしさよ
昨日は何をしたらうか日々何をしてゐたらうか
皆目僕は知りはせぬ
胸平板のうれしさよ
（汽車が小さな駅に着いて、撒水車がチョコナンとあることは、
小倉服の駅員が寒さうであることは、幻燈風景
七里結界に係累はないんだ）

（とにもかくにも春である）

▲

此の年、三原山に、自殺する者多かりき。

とにもかくにも春である、帝都は省線電車の上から見ると、トタン屋根と桜花《さくらばな》との

チヤンポンである。花曇りの空は、その上にひろがつて、何もかも、睡がつてゐる。
誰ももう、悩むことには馴れたので、黙つて春を迎へてゐる。おしろいの塗り方の
拙《まず》い女も、クリーニングしないで仕舞つておいた春外套の男も、黙つて春を迎へ、
春が春の方で勝手にやつて来て、春が勝手に過ぎゆくのなら、桜よ咲け、陽も照れと、
胃の悪いやうな口付をして、吊帯にぶる下つてゐる。薔薇色《ばらいろ》の埃りの中に、車室の中
に、春は来、睡つてゐる。乾《ひ》からびはてた、羨望《せんぼう》のやうに、春は澱《よど》んでゐる。

▲

パツパ、ガーラガラ、ハーシルハリウーウカ、ウハバミカー
キシヤヨ、キシヤヨ、アーレアノイセイ

十一時十五分、下関行終列車
窓から流れ出してゐる燈光《ひかり》はあれはまるで涙ぢやないか
送るもの送られるもの
みんな愉快げ笑つてゐるが

旅といふ、我等の日々の生活に、
ともかくも区切りをつけるもの、一線を劃《かく》するものを
人は喜び、大人なほ子供のやうにはしやぎ

嬉しいほどのあはれをさへ感ずるのだが、
めづらかの喜びと新鮮さのよろこびと、
まるで林檎の一と山ででもあるやうに、
ゆるやかに重さうに汽車は運び出し、
やがてましぐらに走りゆくのだが、

淋しい夜《よる》の山の麓、長い鉄橋を過ぎた後に、
——来る曙は胸に沁《し》み、眺に沁みて、
昨夜東京駅での光景は、
あれはほんとうであつたらうか、幻ではなかつたらうか。

▲

闇に梟《ふくろう》が鳴くといふことも
西洋人がパセリを食べ、朝鮮人がにんにくを食ひ
我々が葱《ねぎ》を常食とすることも、
みんなおんなしやうなことなんだ

秋の夜、
僕は橋の上に行つて梨を嚙《かじ》つた
夜の風が
歯茎にあたるのをこころよいことに思つて

寒かつた、
シャツの襟《えり》は垢《あか》じんでゐた
寒かつた、
月は河波に砕けてゐた

▲

おゝ、父無し児、父無し児

雨が降りさうで、風が凪《な》ぎ、風が出て、障子が音を立て、大工達の働いてゐる物音が遠くに聞こえ、夕闇は迫りつつあつた。この寒天状の澱んだ気層の中に、すべての青春的事象は忌《いま》はしいものに思はれた。

落雁を法事の引物にするといふ習慣をうべなひ、権柄的《けんぺいてき》気六ヶ敷《きむずかし》さを、去《い》にし秋の校庭に揺れてゐたコスモスのやうに思ひ出し、やがて忘れ、電燈をともさず一切構

はず、人が不衛生となすものぐさの中に、僕は溺れペンはくづをれ、黄昏《たそがれ》に沈没して
小児の頃の幻想にとりつかれてゐた。
風は揺れ、茅《かや》はゆすれ、闇は、土は、いぢらしくも怨めしいものであつた。

(宵の銀座は花束捧げ)

宵の銀座は花束捧げ、
　舞ふて踊つて踊つて舞ふて、
我等東京市民の上に、
　今日は嬉しい東京祭り

今宵銀座のこの人混みを
　わけ往く心と心と心
我等東京住ひの身には、
　何か誇りの、何かある。

心一つに、心と心
　寄つて離れて離れて寄つて、
今宵銀座のこのどよもしの
　ネオンライトもさんざめく

ネオンライトもさざめき笑へば、
　人のぞめきもひときはつのる
宵の銀座は花束捧げ、
　今日は嬉しい東京祭り

虫の声

夜が更けて、
一つの虫の声がある。

それはたしかに庭で鳴いたのだが、
鳴き了《(おわ)》るや、それは彼処《かしこ》野原で鳴いたやうにもおもはれる。
此処《(ここ)》と思ひ、彼処と思ひ、
あやしげな思ひに抱かれてゐると、
此処、庭の中からにこにことして、幽霊は立ち現はれる。
よくみれば、慈しみぶかい年増《としま》婦の幽霊。
一陣の風は窓に起り、
幽霊は去る。
虫が鳴くのは、
彼処の野でだ。

（一九三三・八・九）

怨　恨

僕は奴の欺瞞に腹を立ててゐる。
奴の馬鹿を奴より一層馬鹿者の前に匿《かく》すために、
奴が陰に日向に僕を抑へてゐるのは恕《ゆる》せぬ。
そのために僕の全生活は乏しくなつてゐる。

嘗《かつ》て僕は奴をかばつてさへゐた。
奴はただ奴の老婆心の中で、勝手に僕の正直を怖れることから、
僕の生活を抑へ、僕にかくれて愛相をふりまき、
御都合なことをしてやがる。

近頃では世間も奴にすつかり瞞《だま》され、
奴を見上げるそのひまに、
奴は同類を子飼ひ育てる。

その同類の悪口を、奴一人の時に僕がいふと、
奴はどうだ、僕に従つて其奴《そやつ》等の悪口をいふ。
なんといやらしい奴だらう、奴を僕は恕してはおけぬ。

（一九三三・八・九）

怠惰

夏の朝よ、蟬よ、
砂に照りつける陽よ……
燃えてゐる空よ！
今日は誰も泳いでゐない、
赤痢患者でもあつたんだらう？
海は空しく光つてゐる。――凪よ……

叔父さんは僕にいふのだ
「早く持つたがいいぜ、
独り者が碌《ろく》なことを考へはせぬ。」

それどころか、……夏の朝よ、蟬よ、
むかふにみえる、海よ、
僕は寝ころびたいのだよ、

目をつむつて蟬が聞いてゐたい！――森の方……

（一九三三・八・一〇）

蟬

蟬が鳴いてゐる、蟬が鳴いてゐる
蟬が鳴いてゐるほかになんにもない！

うつらうつらと僕はする
……颪もある……
松林を透いて空が見える
うつらうつらと僕はする。

『いいや、さうぢやない、さうぢやない！』と彼が云ふ
『ちがつてゐるよ』と僕がいふ
『いいや、いいや！』と彼が云ふ
『ちがつてゐるよ』と僕が云ふ
と、目が覚める、と、彼はもうとつくに死んだ奴なんだ
それから彼の永眠してゐる、墓場のことなぞ目に浮ぶ……

それは中国のとある田舎の、水無河原《みづなしがはら》といふ
雨の日のほか水のない
伝説付の川のほとり、
藪蔭の砂土帯の小さな墓場、
――そこにも蟬は鳴いてゐるだろ
チラチラ夕陽も射してゐるだろ……

蟬が鳴いてゐる、蟬が鳴いてゐる
蟬が鳴いてゐるほかなんにもない！
僕の怠惰？　僕は『怠惰』か？
僕は僕を何とも思はぬ！
蟬が鳴いてゐる、蟬が鳴いてゐる
蟬が鳴いてゐるほかなんにもない！

（一九三三・八・一四）

夏

なんの楽しみもないのみならず
悲しく懶《ものう》い日は日毎続いた。
目を転ずれば照り返す屋根、
木々の葉はギラギラしてゐた。

雲はとほく、ゴボゴボと泡立つて重なり、
地平の上に、押詰つてゐた。
海のあるのは、その雲の方だらうと思へば
いぢくねた憧れが又一寸《ちよつと》擡頭《たいとう》する真似をした。

このやうな夏が何年も何年も続いた。
心は海に、帆をみることがなかつた。
猟師町の物の臭《にお》ひと油紙《あぶらがみ》と、
終日陽を受ける崖とは私のものであつた。
可愛い少女の絨毛《わくげ》だの、パラソルだの、
すべて綺麗でサラサラとしたものが、
もし私の目の前を通り過ぎたにせよ、そのために
私の眼が美しく光つたかどうかは甚《はなは》だ疑はしい。

――今は天気もわるくはないし、暴風の来る気配も見えぬ、
よつぽど突発的な何事かの起らぬ限り、
だから夕方までには浜には着かうこの小舟。
天心に陽は熾《さか》り、櫓の軋《きし》る音、鈍い音。

偶々《（たまたま）》に、過ぎゆく汽船の甲板からは
私の舟にころがつたたつた一つの風呂敷包みを、
さも面白さうに眺めてござる
エー、眺めてゐるではないかいな。

波々や波の眼《まなこ》や、此の櫂《（かい）》や
遠《（おち）》に重なる雲と雲、
忽然《（こつぜん）》と吹く風の族、
エー、風の族、風の族。

（一九三三・八・一五）

夏過《あ》けて、友よ、秋とはなりました

友達よ、僕が何処にゐたか知つてゐるか？
僕は島にゐた、島の小さな漁村にゐた。

其処《そこ》で僕は散歩をしたり、舟で酒を呑んだりしてゐた。
又沢山の詩も読んだ、何にも煩《わずら》はされないで。

時に僕はひどく退屈した、君達に会ひたかつた。
しかし君達との長々しい会合、その終りにはだれる会合、
飲みたくない酒を飲み、話したくないことを話す辛さを思ひ出して
僕は僕の惰弱な心を、ともかくもなんとか制《おさ》へてゐた。

それにしてもそんな時には勉強は出来なかつた、散歩も出来なかつた。
僕は酒場に出掛けた、青と赤との濁つた酒場で、
僕はジンを呑んで、しまひにはテーブルに俯伏《うつぶ》してゐた。

或る夜は浜辺で舟に凭《すが》つて、波に閃《きら》めく月を見てゐた。
遠くの方の物凄い空。舟の傍では虫が鳴いてゐた。
思ひきりのんびり夢をみてゐた。浪の音がまだ耳に残つてゐる。

2

暗い庭で虫が鳴いてゐる、雨気を含んだ風が吹いてゐる。

茲《ここ》は僕の書斎だ、僕はまた帰つて来てゐる。
島の夜が思ひ出される、いつたいどうしたものか夏の旅は、
死者の思ひ出のやうに心に泌《し》みる、毎年々々、

秋が来て、今夜のやうに虫の鳴く夜は、
靄《もや》に乗つて、死人は、地平の方から僕の窓の下まで来て、
不憫《ふびん》にも、顔を合はすことを羞《はず》かしがつてゐるやうに思へてならぬ。
それにしても、死んだ者達は、あれはいつたいどうしたのだらうか？

過ぎし夏よ、島の夜々よ、おまへは一種の血みどろな思ひ出、
それなのにそれはまた、すがすがしい懐かしい思ひ出、
印象は深く、それなのに実際なのかと、疑つてみたくなるやうな思ひ出、
わかつてゐるのに今更のやうに、ほんとだつたと驚く思ひ出！……

（一九三三・八・二一）

燃える血

1

ふくらはぎを眺めながら
燃える血のことを思つた。
雨の霽《(は)》れ間《ま》をオルガンは
鳴つてゐる。

ふくらはぎを眺めながら
僕はたらちねのことを思つた。
雨の霽れ間《ま》をオルガンは
鳴つてゐる。

ああ、おもひ出すおもひ出す、
小学校のころのこと……
小学校のかへりみち……

雑嚢《ざつのう》はほんに重かつた！

雨の霽れ間をオルガンは、
僕を何処まで追つかける。オルガンは
雨を含んだ風にのり
小さな僕の耳に泣く。

2

何時でも何時でも僕の血は
燃えてゐた。友達よ、
君と話してゐるひまも、僕の血は
あんまり燃えて困るのだ。

血はあんまり燃え、そのことは
僕にあつては一つの事象だ。
君と話してゐる時も、だから話と血の燃焼、
僕は二つの事象にかかはつてゐる。

友達よ、もし僕の目付が悪いとしても、
そのせゐだ。燃ゆる血は、
何時も空中に音を探し、すがすがしさをせちにもとめ、
心の労作《らうさ》のそのまへに、まづ燃える血を
鎮《しづ》めなければならぬのだ、何時も何時も……
それゆゑ自然は懐しく、人の虚栄は眩《まぶ》しいばかり……

3

燃ゆる血よ、僕をどうしようといふのだ？
　夏の真昼の、動かぬ雲よ……
動かぬ雲も無花果《いちじく》の葉も、
僕をどうしようといふのだらう？
鳴いてゐる蟬も、照りかへす屋根も、
僕の血に泌《し》み、堪えざらしめる。

（一九三三・八・二一）

燃ゆる血よ、僕をどうしようといふのだ？
感じ感じて、それだけで死んでゆけばよいといふのか？

夏の記憶

温泉町のほの暗い町を、
僕は歩いてゐた、ひどく俯《うつむ》いて。
三味線の音や、女達の声や、
走馬燈《まはりどうろ》が目に残つてゐる。
其処《そこ》は直ぐそばに海もあるので、
夏の賑ひは甚《はなは》だしいものだつた。
銃器を掃除したボロギレの親しさを、
汚れた襟《えり》に吹く、風の印象を受けた。

闇の夜は、海辺《ばた》に出て、重油のやうな思ひをしてゐた。
太つちよの、船頭の女房は、かねぶんのやうな声をしてゐた。
最初の晩は町中歩いて、歯ブラッシを買つて、
宿に帰つた。――暗い電気の下で寝た。

（一九三三・八・二一）

童謡

しののめの
よるのうみにて
汽笛鳴る。

こころよ
起きよ

目を醒《さ》ませ。

しののめの
よるのうみにて
汽笛鳴る。

象の目玉の、
汽笛鳴る。

（一九三三・九・二二）

京浜街道にて

萎《しな》びたコスモスに、鹿革の手袋をはめ、それを、霊柩車《れいきゅうしゃ》に入れて、街道を往く。
　風と陽は、まざらない……

霊柩車、落とす日蔭に、落ちる涙はこごめばな。

（一九三三・九・二二）

いちぢくの葉

夏の午前よ、いちぢくの葉よ、
葉は、乾いてゐる、ねむげな色をして
風が吹くと揺れてゐる、
よはい枝をもつてゐる……

僕は睡らうか……
電線は空を走る
その電線からのやうに遠く蟬は鳴いてゐる

葉は乾いてゐる、
風が吹いてくると揺れてゐる、
葉は葉で揺れ、枝としても揺れてゐる

僕は睡らうか……
空はしづかに音く、
陽は雲の中に這入《はい》つてゐる、
電線は打つづいてゐる
蟬の声は遠くでしてゐる
懐しきものみな去ると。

（一九三三・一〇・八）

（小川が青く光つてゐるのは）

小川が青く光つてゐるのは、

あれは、空の色を映してゐるからなんださうだ。
山の彼方《かなた》に、雲はたたずまひ、
山の端《は》は、あの永遠の目《ま》ばたきは、
却《かえつ》て一本《ひともと》の草花に語つてゐた。

一本《ひともと》の草花は、広い畑の中に、
咲いてゐた。——葡萄畑《ぶどうばたけ》の、
あの脣《くちびる》黒い老婆に眺めいらるるままに。

レールが青く光つてゐるのは、
あれは、空の色を映して青いんださうだ。

秋の日よ！ 風よ！
僕は汽車に乗つて、富士の裾野をとほつてゐた。

（一九三三・一〇）

朝

かゞやかしい朝よ、
紫の、物々の影よ、
つめたい、朝の空気よ、
灰色の、甍《いらか》よ、
水色の、空よ、
風よ！

なにか思ひ出せない……
大切な、こころのものよ、
底の方でか、遥《はる》か上方でか、
今も鳴る、失《な》くした笛よ、
その笛、短くはなる、
短く！

風よ！
水色の、空よ、
灰色の、甍よ、
つめたい、朝の空気よ、
かゞやかしい朝
紫の、物々の影よ……

朝

雀が鳴いてゐる
朝日が照つてゐる
私は椿の葉を想ふ
雀が鳴いてゐる
起きよといふ

だがそんなに直ぐは起きられようか
私は灌木林の中を
走り廻る夢をみてゐたんだ

恋人よ、親達に距《へだ》てられた私の恋人、
君はどう思ふか……
僕は今でも君を懐しい、懐しいものに思ふ

雀が鳴いてゐる
朝日が照つてゐる
私は椿の葉を想ふ

雀が鳴いてゐる
起きよといふ
だがそんなに直ぐは起きられようか
私は灌木林の中を
走り廻る夢をみてゐたんだ

玩具の賦

昇平に

どうともなれだ
俺には何がどうでも構はない
どうせスキだらけぢやないか
スキの方を減《へら》さうなんてチャンチャラ可笑《おか》しい
俺はスキの方なぞ減らさうとは思はぬ
スキでない所をいつそ放りつぱなしにしてゐる
それで何がわるからう

俺にはおもちやが要るんだ
おもちやで遊ばなくちやならないんだ
利得と幸福とは大体は混《まざ》る
だが究極では混《まざ》りはしない
俺は混《まざ》らないとこばつかり感じてゐなけあならなくなつてるんだ
月給が増《ふ》えるからといつておもちやが投げ出したくはないんだ

俺にはおもちやがよく分つてるんだ
おもちやのつまらないとこも
おもちやがつまらなくもそれを弄《もてあそ》べることはつまらなくはないことも
俺にはおもちやが投げ出せないんだ
こつそり弄べもしないんだ
つまり余技ではないんだ
おれはおもちやで遊ぶぞ
おまへは月給で遊び給へだ
おもちやで俺が遊んでゐる時
あのおもちやは俺の月給の何分の一の値段だなぞと云ふはよいが
それでおれがおもちやで遊ぶことの値段まで決まつたつもりでゐるのは
滑稽だぞ
俺はおもちやで遊ぶぞ
一生懸命おもちやで遊ぶぞ
贅沢《ぜいたく》なぞとは云ひめさるなよ
おれ程おまへもおもちやが見えたら
おまへもおもちやで遊ぶに決つてゐるのだから
文句なぞを云ふなよ

それどころか
おまへはおもちやを知つてないから
おもちやでないことも分りはしない
おもちやでないことをただそらんじて
それで月給の種なんぞにしてやがるんだ
それゆゑもしも此の俺がおもちやも買へなくなつた時には
写字器械奴《め》！
云はずと知れたこと乍《なが》ら
おまへが月給を取ることが贅沢だと云つてやるぞ
行つたり来たりしか出来ないくせに
行つても行つてもまだ行かうおもちや遊びに
何とか云へるがものはないぞ
おもちやが面白くもないくせに
おもちやを商ふことしか出来ないくせに
おもちやを面白い心があるから成立つてゐるくせに
おもちやで遊んでゐらあとは何事だ
おもちやで遊べることだけが美徳であるぞ
おもちやで遊べたら遊んでみてくれ

おまへに遊べる筈はないのだ
おもちやとしか見えないだらう
俺にはあのおもちやこのおもちやと、おもちやおもちやで面白いんぞ
おれはおもちや以外のことは考へてみたこともないぞ
おれはおもちやが面白かつたんだ
しかしそれかと云つておまへにはおもちや以外の何か面白いことといふのがあるのか
ありさうな顔はしとらんぞ
あると思ふのはそれや間違ひだ
北叟笑《にやぁッ》とするのと面白いのとは違ふんぞ

ではおもちやを面白くしてくれなんぞと云ふんだらう
面白くなれあ儲かるんだといふんでな
では、ああ、それでは
やつぱり面白くはならない写字器械奴《め》！
――こんどは此のおもちやの此処《（ここ）》ンところをかう改良《なほ》して来い！
トツトといつて云つたやうにして来い！

昏睡

亡びてしまつたのは
僕の心であつたらうか
亡びてしまつたのは
僕の夢であつたらうか

記憶といふものが
もうまるでない
往来を歩きながら
めまひがするやう

何ももう要求がないといふことは

（一九三四・二）

もう生きてゐては悪いといふことのやうな気もする
それかと云つて生きてゐたくはある
それかといつて却に死にたくなんぞはない

あゝそれにしても、
諸君は何とか云つてたものだ
僕はボンヤリ思ひ出す
諸君は実に何かか云つてゐたつけ

（一九三四・四・二二）

夜明け

夜明けが来た。雀の声は生唾液《なまつばき》に似てゐた。
水仙は雨に濡れてゐようか？　水滴を付けて耀《かがや》いてゐようか？
出て、それを見ようか？　人はまだ、誰も起きない。

鶏《にはとり》が、遠くの方で鳴いてゐる。――あれは悲しいので鳴くのだらうか？
声を張上げて鳴いてゐる。――井戸端はさぞや、睡気《ねむけ》にみちてゐるであらう。
槽（おけ）は井戸蓋の上に、倒《さかし》まに置いてあるであらう。
御影石（みかげいし）の井戸側は、言問ひたげであるだらう。
苔は蔭の方から、案外に明るい顔をしてゐるだらう。
御影石は、雨に濡れて、顕心的であるだらう。
鶏《とり》の声がしてゐる。遠くでしてゐる。人のやうな声をしてゐる。

おや、焚付（たきつけ）の音がしてゐる。――起きたんだな――
新聞投込む音がする。牛乳車《ぎうにうぐるま》の音がする。
《えー……今日はあれとあれとあれと……？………………》
脣《くち》が力を持つてくる。おや、烏《からす》が鳴いて通る。

（一九三四・四・二二）

朝

雀の声が鳴きました
雨のあがつた朝でした
お葱《ねぎ》が欲しいと思ひました

ポンプの音がしてゐました
頭はからつぽでありました
何を悲しむのやら分りませんが、
心が泣いてをりました

遠い遠い物音を
多分は汽車の汽笛の音に
頼みをかけるよな気持
心が泣いてをりました

寒い風に、油煙まじりの
煙が吹かれてゐるやうに
焼木杭《やけぼつくい》や霜のやう僕の心は泣いてゐた

（一九三四・四・二二）

狂気の手紙

袖の振合ひ他生の縁
僕事、気違ひには御座候《ござそうら》へども
格別害も致し申さず候間
切角《せつかく》御一興とは思召され候て
何卒《なにとぞ》気の違つた所など
御高覧の程伏而懇願仕候《ふしてこんがんつかまつりそうろう》
陳述《のぶれば》此《こ》度《たび》は気がフーッと致し

キンポーゲとこそ相成候《あいなりそうろう》
野辺の草穂と春の空
何仔細あるわけにも無之《これなく》候処
タンポポや、煙の族とは相成候間
一筆御知らせ申上候
猶《なお》、また近日日蔭なぞ見申し候節は
早速参上、羅宇《ラウ》換へや紙芝居のことなぞ
詳しく御話し申し上候
お葱《ねぎ》や塩のことにても相当お話し申上候
否、地球のことにてもメリーゴーランドのことにても
お鉢のことにても火箸のことにても何にても御話申　上可《もうしあぐべく》候匆々《そうそう》

（一九三四・四・二二）

咏嘆調

悲しみは、何処《どこ》までもつづく
蛮土の夜の、お祭のやうに、その宵のやうに、
その夜更のやうに何処までもつづく。

それは、夜と、湿気と、炬火《たいまつ》と、掻き傷と、
野と草と、遠い森の灯のやうに、
頸《うなじ》をめぐり少しばかりの傷を負はせながら過ぎてゆく。

それは、まるで時間と同じものでもあるのだらうか？
胃の疲れ、肩の凝りのやうなものであらうか、
いかな罪業のゆゑであらうか
この駱駅《らくえき》とつづく悲しみの小さな小さな無数の群は。
それはボロ麻や、腓《ハギ》に吹く、夕べの風の族であらうか？

夕べ野道を急ぎゆく、漂泊の民《たみ》であらうか？
何処までもつづく此の悲しみは、
はや頸を真ッ直ぐにして、ただ諦めてゐるほかはない。……

※

「夜は早く寐《ね》て、朝は早く起きる！」
——やるせない、この生計《なりはひ》の宵々に、
煙草吹かして茫然と、電燈《でんき》の傘を見てあれば、
昔、小学校の先生が、よく云つたこの言葉
不思議に目覚め、あらためて、
「夜は早く寐て、朝は早く起きる！」と、
くちずさみ、さてギョッとして、
やがてただ、溜息を出すばかりなり。

「夜は早く寐て、朝は早く起きる！」

「夕空霽《は》れて、涼蟲《すずむし》鳴く。」

「腰湯がすんだら、背戸《せど》の縁台にいらつしやい。」

思ひ出してはがつかりとする、

これらの言葉の不思議な魅力。
いかなる故にがつかりするのか、
はやそれさへも分りはしない。

「夜は早く寝て、朝は早く起きる！」
僕は早く起き、朝霧よ、野に君を見なければならないだらうか。
小学校の先生よ、僕はあなたを思ひ出し、
あなたの言葉を思ひ出し、あなたの口調を、思ひ出しさへするけれど、
それら悔恨のやうに、僕の心に浸《（し）》み渡りはするけれど、
それはただ一抹の哀愁となるばかり、
意志とは何の、関係もないのでした……

秋岸清涼居士

消えていつたのは、

あれはあやめの花ぢやろか？
いいえいいえ、消えていつたは、
あれはなんとかいふ花の紫の莟《つぼ》みであつたぢやろ
冬の来る夜に、省線の
遠音とともに消えていつたは
あれはなんとかいふ花の紫の莟みであつたぢやろ

※

とある侘《わ》びしい踏切のほとり
草は生え、すゝきは伸びて
その中に、
焼木杭《やけぼつくい》がありました

その木杭に、その木杭にですね、
月は光を灑《そそ》ぎました

木杭は、胡麻塩頭の塩辛声《しよつかれごゑ》の、
武家の末裔《はて》でもありませうか？

それとも汚ないソフトかぶつた
老ルンペンでもありませうか

風は繁みをさやがせもせず、
冥府《あのよ》の温風《ぬるかぜ》さながらに
繁みの前を素通りしました

繁みの葉ッパの一枚々々
伺ふやうな目付して、
こつそり私を矚《みつ》めてゐました

月は半月《はんかけ》　鋭く光り
でも何時もより
可なり低きにあるやうでした
蟲《(むし)》は草葉の下で鳴き、
草葉くぐつて私に聞こえ、
それから月へと昇るのでした

ほのぼのと、煙草吹かして懐《ふところ》で、
手を暖《あった》めてまるでもう
此処《ここ》が自分の家《うち》のやう
すつかりと落付きはらひ路の上《へ》に
ヒラヒラと舞ふ小妖女《フェアリー》に
だまされもせず小妖女《フェアリー》を、
見て見ぬ振りでゐましたが
やがてして、ガックリとばかり
口開《あ》いて背ろ《うし》に倒れた
頸《うなじ》きれいなその男
秋岸清涼居士といひ――僕の弟、
月の夜とても闇夜ぢやとても
今は此の世に亡い男

今夜侘びしい踏切のほとり
腑抜《ふぬけ》さながら佇《た》つてるは
月下の僕か弟か

おほかた僕には違ひないけど
死んで行つたは、
――あれはあやめの花ぢやろか
いいえいいえ消えて行つたは、
あれはなんとかいふ花の紫の蕾ぢやろ
冬の来る夜に、省線の
遠音とともに消えていつたは
あれはなんとかいふ花の紫の蕾か知れず
あれは果されなかつた憧憬に窒息しをつた弟の
弟の魂かも知れず
はた君が果されぬ憧憬であるかも知れず
草々も蟲の音も焼木杭も月もレールも、
いつの日か手の掌《ひら》で揉んだ紫の朝顔の花の様に
揉み合はされて悉皆《しつかい》くちやくちやにならうやもはかられず
今し月下に憩《やす》らへる秋岸清涼居士ばかり
歴然として一基の墓石
石の稜《りよう》 劃然《かくぜん》として
世紀も眠る此の夜さ一と夜

——蟲が鳴くとはいて面妖《めんよう》な
エヂプト遺蹟もかくまでならずと
首を捻《ひね》つてみたが何
ブラリブラリと歩き出したが
どつちにしたつておんなしことでい
さてあらたまつて申上まするが
今は三年の昔の秋まで在世
その秋死んだ弟が私の弟で
今ぢや秋岸清涼居士と申しやす、ヘイ。

（一九三四・一〇・二〇夜）

月下の告白

青山二郎に

劃然《かくぜん》とした石の稜《りよう》
あばた面《づら》なる墓の石

蟲鳴く秋の此の夜さ一と夜
月の光に明るい墓場に
エヂプト遺蹟もなんのその
いとちんまりと落居《おちい》てござる
この僕は、生きながらへて
此の先何を為《な》すべきか
石に腰掛け考へたれど
とんと分らぬ、考へともない
足の許《もと》なる小石や砂の
月の光に一つ一つ
手にとるやうにみゆるをみれば
さてもなつかしいたはしした
さてもなつかしいたはししたし

（一九三四・一〇・二〇）

別離

さよなら、さよなら！
いろいろお世話になりました
いろいろお世話になりましたねえ
いろいろお世話になりました

さよなら、さよなら！
こんなに良いお天気の日に
お別れしてゆくのかと思ふとほんとに辛い
こんなに良いお天気の日に

さよなら、さよなら！
僕、午睡《ひるね》から覚めてみると
みなさん家を空《あ》けておいでだつた
あの時を妙に思ひ出します

さよなら、さよなら！
そして明日《あした》の今頃は
長の年月見馴れてる
故郷の土をば見てゐるのです

さよなら、さよなら！
あなたはそんなにパラソルを振る
僕にはあんまり眩《まぶ》しいのです
あなたはそんなにパラソルを振る

さよなら、さよなら！
さよなら、さよなら！

（一九三四・一一・一三）

2

僕、午睡から覚めてみると、
みなさん、家を空けてをられた

あの時を、妙に、思ひ出します

日向ぼつこをしながらに、
爪摘《（つめつ）》んだ時のことも思ひ出します、
みんな、みんな、思ひ出します

芝庭のことも、思ひ出します
　薄い陽の、物音のない昼下り
あの日、栗を食べたことも、思ひ出します

干された飯櫃《おひつ》がよく乾き
裏山に、鳥が呑気に啼いてゐた
あゝ、あのときのこと、あのときのこと……

・

　僕はなんでも思ひ出します
僕はなんでも思ひ出します
　　でも、わけても思ひ出すことは

わけても思ひ出すことは……
——いいえ、もうもう云へません
決して、それは、云はないでせう

3

忘れがたない、虹と花、
忘れがたない、虹と花
虹と花、虹と花
どこにまぎれてゆくのやら
どこにまぎれてゆくのやら
(そんなこと、考へるの馬鹿)
その手、その脣《くち》、その唇《くちびる》の、
いつかは、消えて、ゆくでせう
(霙《みぞれ》とおんなじことですよ)
あなたは下を、向いてゐる

向いてゐる、向いてゐる
　さも殊勝らしく向いてゐる

いいえ、かういつたからといつて
　なにも、怒《おこ》つてゐるわけではないのです、
　怒つてゐるわけではないのです

忘れがたない虹と花、
　虹と花、虹と花、
　（霙とおんなじことですよ）

4

何か、僕に、食べさして下さい。
何か、僕に、食べさして下さい。
　きんとんでもよい、何でもよい、
　何か、僕に食べさして下さい！

いいえ、これは、僕の無理だ、

こんなに、野道を歩いてゐながら
野道に、食物《たべもの》、ありはしない。
ありません、ありはしません！

5

向ふに、水車が、見えてゐます、
苔むした、小屋の傍、
ではもう、此処からお帰りなさい、お帰りなさい
僕は一人で、行けます、行けます、
僕は、何を云ってるのでせう
いいえ、僕とて文明人らしく
もつと、他《ほか》の話も、すれば出来た
いいえ、やつぱり、出来ません出来ません

悲しい歌

こんな悪達者な人にあつては
僕はどんな巻添へを食ふかも知れない
僕には智慧が足りないので
どんなことになるかも知れない

悪気がちつともないにしても
悪い結果を起したら全くたまらない
悪気がちつともないのに
悪い結果が起りさうで心配だ

なんのことはない夢みる男にとつて
悪達者な人は罠《わな》に過ぎない
格別鎌を掛けられるのではないのであつても
鎌を掛けられたことになるのだからかなはない

それを思へば恐ろしい気がする
もう何も出来ない気がする
それかといつて穴に這入《はい》つてもゐられず
僕はたゞだんだんぼんやりして来る

（一九三四・一一・二六）

2

あゝ神様お助け下さい！
これははやどうしやうもございません。
貴方《あなた》のお助けが来ない限りは、
これは、どうしやうもございません。

このどうしやうもないことの理由を
一度は詳しく分解して人に示さうとも考へました
その分解から法則を抽《ひ》き出し纏《まと》め、
人々に教へようとも考へました

又は私の遭遇する一々の事象を極めて
明細に描出しようとも考へました
しかし現実は果しもなく豊富で、
それもやがて断念しなければならなくなりました。

それから私はもう手の施しやうもなく、
たゞもう事象に引摺《ひきず》られて生きてゐるのでございますが、
それとて其処《そこ》に落付いてゐるのでもなく、
搗《か》てて加へて馬鹿さの方はだんだん進んで参るのでございます

かくて今日はもう、茲《ここ》に手をついて、
私はもう貴方のお慈悲を待つのでございます
そして手をつくといふことが
どのやうなことだかを今日初めて知るやうなわけでございます。

神様、今こそ私は貴方の御前に額《ぬか》づくことが出来ます。
この強情な私奴《め》が、散々の果てに、
またその果ての遅疑・痴呆の果てに、

貴方の御前に額づくことが出来るのでございます。

※

扨《さて》斯様《かよう》に御前に額づいてをりますと、
どうやら私の愚かさも、懦弱《だじやく》の故に生ずる悪も分つてくるやうな気も致します、
然しそれも心許《こころもと》なく、
私は猶如何様《いかよう》にしたらよいものか分りません。

※

私はもう泣きもしませぬ
いいえ、泣けもしないのでございます
茲にかうしてストイック風に居りますことも
さして意趣あつてのことではございません

せめてこのやうに足痛むのを堪《こら》へて坐つて、
呆《ほう》けた心を引き立ててゐるやうなものでございます。

※

妻と子をいとほしく感じます
そしてそれはそれだけで、どうすることも出来ないし
どうなることでもないと知つて、
どうしようともはや思ひも致しません

而《しか》もそれだけではどうにも仕方がないと思つてをります……

3

僕は人間が笑ふといふことは、
人間が憎悪を貯《た》めてゐるからだと知つた。
人間が口を開《あ》くと、
蝦茶色《えびちやいろ》の憎悪がわあッと跳び出して来る。

みんな貯まつてゐる憎悪のために、
色々な喜劇を演ずるのだ。
たゞその喜劇を喜劇と感ずる人と、
極《ご》く当然の事と感ずる馬鹿《ばか》者との差違があるだけだ。

私は見た。彼は笑ひ、
彼は笑つたことを悲しみ、
その悲しんだことをまた大したことでもないと思ひ、
彼はたゞギョッとしてゐた。

私は彼を賢者だと思ふ
（そしたら私は泣き出したくなつた）
私は彼に、何も云ふことはなかつた
而も黙つて何時まで会つてゐることは危険だと感じた。
私は一散に帰つて来た。

※

私はどうしやうもないのです。

※

あゝ、どうしやうもないのでございます。

（海は、お天気の日には）

海は、お天気の日には、
綺麗だ。
海は、お天気の日には、
金や銀だ。

それなのに、雨の降る日は、
海は、怖い。
海は、雨の降る日は、
呑まれるやうに、怖い。

あゝ私の心にも雨の日と、お天気の日と、

（一九三四・一一・二六）

その両方があるのです
その交代のはげしさに、
心は休まる暇もなく

（お天気の日の海の沖では）

お天気の日の海の沖では
子供が大勢遊んでゐます
お天気の日の海をみてると
女が恋しくなつて来ます

女が恋しくなるともう浜辺に立つてはゐられません
女が恋しくなると人は日蔭に帰つて来ます
日蔭に帰つて来ると案外又つまらないものです

それで人はまた浜辺に出て行きます

それなのに人は大部分日蔭に暮します
何かしようと毎日々々
人は希望や企画に燃えます

さうして働いた幾年かの後に、
人は死んでゆくんですけれど、
死ぬ時思ひ出すことは、多分はお天気の日の海のことです

（一九三四・一一・二九）

野卑時代

星は綺麗と、誰でも云ふが、
それは大概、ウソでせう

星を見る時、人はガッカリ
自分の卑少を、思ひ出すのだ

星を見る時、愉快な人は
今時滅多に、ゐるものでなく
星を見る時、愉快な人は
今時、孤独であるかもしれぬ

それよ、混迷、卑怯に野卑に
人々多忙のせゐにてあれば
文明開化と人云ふけれど
野蛮開発と僕は呼びます

勿論《もちろん》、これも一つの過程
何が出てくるかはしれないが
星を見る時、しかめつらして
僕も此の頃、生きてるのです

（一九三四・一一・二九）

星とピエロ

何、あれはな、空に吊した銀紙ぢやよ
かう、ボール紙を剪《き》つて、それに銀紙を張る、
それを綱か何かで、空に吊し上げる、
するとそれが夜になつて、空の奥であのやうに
光るのぢや。分つたか、さもなけれあ空にあんなものはないのぢや

それあ学者共は、地球のほかにも地球があるなぞといふが
そんなことはみんなウソぢや、銀河系なぞといふのもあれは
女《をなご》共の帯に銀紙を擦《す》り付けたものに過ぎないのぢや
ぞろぞろと、だらしもない、遠くの方ぢやからええやうなものの
ぢやによつて、俺《わし》なざあ、遠くの方はてんきりみんぢやて

（一九三四・一二・一六）

見ればこそ腹も立つ、腹が立てば怒りたうなるわい

それを怒らいでジッと我慢してをれば、神秘だのとも云ひたくなる
もともと神秘だのと云ふ連中《やつ》は、例の八ッ当りも出来ぬ弱虫ぢやで
誰怒るすぢもないとて、あんまり仕末《(しまつ)》がよすぎる程の輩《やから》どもが
あんなこと発明をしよつたのぢやわい、分つたらう

分らなければまだ教へてくれる、空の星が銀紙ぢやないといふても
銀でないものが銀のやうに光りはせぬ、青光りがするつてか
それや青光りもするぢやらう、銀紙ぢやから喃《なう》
向きによつては青光りすることもあるぢや、いや遠いつてか
遠いには正に遠いが、それや吊し上げる時綱を途方もなう長うしたからのことぢや

誘蛾燈詠歌

ほのかにほのかに、ともつてゐるのは
これは一つの誘蛾燈、稲田の中に

秋の夜長のこの夜さ一と夜、ともつてゐるのは
誘蛾燈、ひときは明るみひときはくらく
銀河も流るるこの夜さ一と夜、稲田の此処《ここ》に
ともつてゐるのは誘蛾燈、だあれも来ない
稲田の中に、ともつてゐるのは誘蛾燈
たまたま此処に来合せた者が、見れば明るく
ひときは明るく、これより明るいものとてもない
夕べ誰《た》が手がこれをば此処に、置きに来たのか知る由もない
銀河も流るる此の夜さ一と夜、此処にともるは誘蛾燈

2

と、つまり死なのです、死だけが解決なのです
それなのに人は子供を作り、子供を育て
ここもと此処（娑婆《しやば》）だけを一心に相手とするのです
却々《なかなか》　義理堅いものともいへるし刹那的《せつなてき》とも考へられます
暗い暗い曠野《こうや》の中に、その一と所に灯をばともして
ほのぼのと人は暮しをするのです、前後《あとさき》の思念もなく
扨《さて》ほのぼのと暮すその暮しの中に、皮肉もあれば意地悪もあり

虚栄もあれば衒《てら》ひ気もあるといふのですから大したものです
ほのぼのと、此処だけ明るい光の中に、親と子とそのいとなみと
義理と人情と心労と希望とあるといふのだからおほけなきものです
もともとはといへば終局の所は、案じあぐむでも分らない所から
此処は此処だけで一心にならうとしたものだかそれとも、
子供は子供で現に可愛いいから可愛がる、従つて
その子はまたその子の子を可愛がるといふふうになるうちに
入籍だの誕生の祝ひだのと義理堅い制度や約束が生じたのか
その何れであるかは容易に分らず多分は後者の方であらうにしても
如何《いか》にも私如き男にはほのかにほのかに、ここばかり明《あか》る此の娑婆といふものは
なにや分らずたゞいぢらしく、夜べに聞く青年団の
喇叭《らつぱ》練習の音の往還に流れ消えゆくを
銀河思ひ合せて聞いてあるだに感じ強うて精一杯で
その上義務だのと云はれてははや驚くのほかにすべなく
身を挙げて考へてのやうやくのことが、
ほのぼのとほのぼのとここもと此処ばかり明る灯《ともし》ともして
人は案外義理堅く生活するといふことしか分らない
そして私は青年団練習の喇叭を聞いて思ひそぞろになりながら

而《しか》も義理と人情との世のしきたりに引摺《ひきず》られつつびつくりしてゐる

3

あをによし奈良の都の……

それではもう、僕は青とともに心中しませうわい
くれなゐだのイエローなどと、こちや知らんことだわい
流れ流れつ空をみて赤児の脣《くち》よりなほ淡《あは》く
空に浮かれて死んでゆこか、みなさんや
どうか助けて下されい、流れ流れる気持より
何も分らぬわたくしは、少しばかりは人様なみに
生きてゐたいが業《ごふ》のはじまり、かにかくにちよつぴりと働いては
酒をのみ、何やらかなしく、これこのやうにぬけぬけと
まだ生きてをりまして、今宵小川に映る月しだれ柳や
いやもう難有《ありがと》うて、耳ゴーと鳴つて口きけませんだぢやい

4

やまとやまと、やまとはくにのまほろば……

何云ひなはるか、え？　あんまり責めんといとくれやす

責めはつたかてどないなるもんやなし、な
責めんといとくれやす、何も諛《へつら》ひますのやないけど
あてこないな気持になるかて、あんたかて
こないな気持にならはることかてありますやろ、そやないか？
そらモダンもええどつしやろ、しかし柳腰もええもんどすえ？

（あゝ、そやないかァ）
（あゝ、そやないかァ）

5　メルヘン

寒い寒い雪の曠野の中でありました
静御前と金時は親子の仲でありました
すげ笠は女の首にはあまりに大きいものでありました
雪の中ではおむつもとりかへられず
吹雪は瓦斯《ガス》の光の色をしてをりました

×

或るおぼろぬくい春の夜でありました
平の忠度《ただのり》は桜の木の下に駒をとめました
かぶとは少しく重過ぎるのでありました
そばのいささ流れで頭の汗を洗ひました、　サテ
花や今宵の主《あるじ》ならまし

（一九三四・一二・一六）

（なんにも書かなかつたら）

なんにも書かなかつたら
みんな書いたことになつた

覚悟を定めてみれば、
此の世は平明なものだつた

夕陽に向つて、
野原に立つてゐた。
まぶしくなると、
また歩み出した。

何をくよくよ、
川端やなぎ、だ……
土手の柳を、
見て暮らせ、よだ

2

開いて、ゐるのは、
あれは、花かよ？
何の、花か、よ？
薔薇《ばら》の、花ぢやろ。

（一九三四・一二・二九）

しんなり、開いて、
こちらを、向いてる。
蜂だとて、ゐぬ、
小暗い、小庭に。

あゝ、さば、薔薇《さうび》よ、
物を、云つてよ、
物をし、云へば、
答へよう、もの。

答へたらさて、
もつと、開《さ》かうか？
答へても、なほ、
ジツト、そのまゝ？

3

鏡の、やうな、澄んだ、心で、

私も、ありたい、ものです、な。

鏡の、やうに、澄んだ、心で、
私も、ありたい、ものです、な。
鏡は、まつしろ、斜《はす》から、見ると、
鏡は、底なし、まむきに、見ると。

鏡、ましろで、私をおどかし、
鏡、底なく、私を、うつす。
私を、おどかし、私を、浄め、
私を、うつして、私を、和ます。

鏡、よいもの、机の、上に、
一つし、あれば、心、和ます。
あゝわれ、一と日、鏡に、向ひ、

唾《つば》、吐いたれや、さつぱり、したよ。
　唾、吐いたれあ、さつぱり、したよ、
　何か、すまない、気持も、したが。

鏡、許せよ、悪気は、ないぞ、
ちよいと、いたづら、してみたサァ。

（一本の藁は畦の間に挾つて）

一本の藁は畦《あぜ》の間に挾《さ》つて
ひねもす陽を浴びぬくもつてゐた
ひねもす空吹く風の余勢に
時偶《ときたま》首上げあたりを見てゐた

私は刈田の堆藁《としやく》に凭《もた》れて
ひねもす空に凧（たこ）を揚げてた
ひねもす糸を操り乍（なが）ら
空吹く風の音を聞いてた

空は青く冷たく青く
玻璃（はり）にも似たる冬景であつた
一本の煙草を点火するにも
沢山の良心を要することだつた

坊　や

山に清水が流れるやうに
その陽の照つた山の上の
硬い粘土の小さな溝を

山に清水が流れるやうに

何も解せぬ僕の赤子《ぼーや》は
今夜もこんなに寒い真夜中
硬い粘土の小さな溝を
流れる清水のやうに泣く

母親とては眠いので
目が覚めたとて構ひはせぬ
赤子《ぼーや》は硬い粘土の溝を
流れる清水のやうに泣く

その陽の照つた山の上の
硬い粘土の小さな溝を
さらさらさらと流れるやうに清水のやうに
寒い真夜中赤子《ぼーや》は泣くよ

（一九三五・一・九）

僕が知る

僕には僕の狂気がある
僕の狂気は蒼ざめて硬くなる
かの馬の静脈などを想はせる

僕にも僕の狂気がある
それは張子《はりこ》のやうに硬いがまた
張子のやうに破けはしない

それは不死身の弾力に充ち
それはひよつとしたなら乾蚫《ほしあはび》であるかも知れない
それを小刀で削つて薄つぺらにして
さて口に入れたつて唾液に反撥するかも知れない

唾液には混《まざ》らぬものを

恰《あた》かも唾液に混るやうな格構《かつこう》をして
ぐつと嚥《の》み込まなければならないのかも知れない
ぐつと嚥み込んで、扨《さて》それがどんな不協和音を奏でるかは、僕が知る
（一九三五・一・九）

（おまへが花のやうに）

おまへが花のやうに
淡鼠《うすねず》の絹の靴下穿《は》いた花のやうに
松並木《まつなみき》の開け放たれた道をとほつて
日曜の朝陽を受けて、歩んで来るのが、

僕にみえだすと僕は大変、
狂気のやうになるのだつた
それから僕等磧《かわら》に坐つて

話をするのであつたつけが
思へば僕は一度だつて
素直な態度をしたことはなかつた
何時でもおまへを小突《こづ》いてみたり
いたづらばつかりするのだつたが

今でもあの時僕らが坐つた
磧の石は、あのまゝだらうか
草も今でも生えてゐようか
誰か、それを知つてるものぞ！

おまへはその後どこに行つたか
おまへは今頃どうしてゐるか
僕は何にも知りはしないぞ
そんなことつて、あるでせうかだ
そんなことつてあつてもなくても

おまへは今では赤の他人
何処で誰に笑つてゐるやら
今も香水つけてゐるやら

（一九三五・一・一一）

初恋集

すずえ

それは実際あつたことでせうか
　それは実際あつたことでせうか
僕とあなたが嘗《かつ》ては愛した？
　あゝそんなことが、あつたでせうか。

あなたはその時十四でした
　僕はその時十五でした

冬休み、親戚で二人は会つて
　ほんの一週間、一緒に暮した

あゝそんなことがあつたでせうか
あつたには、ちがひないけど
どうもほんとと、今は思へぬ
あなたの顔はおぼえてゐるが

あなたはその後遠い国に
　お嫁に行つたと僕は聞いた
それを話した男といふのは
　至極《しごく》普通の顔付してゐた

それを話した男といふのは
　至極普通の顔してゐたやう
子供も二人あるといつた
　亭主は会社に出てるといつた

（一九三五・一・一一）

むつよ

あなたは僕より年が一つ上で
あなたは何かと姉さんぶるのでしたが
実は僕の方がしつかりしてると
僕は思つてゐたのでした

ほんに、思へば幼い恋でした
僕が十三で、あなたが十四だつた。
その後、あなたは、僕を去つたが
僕は何時まで、あなたを思つてゐた……

それから暫く《しばら》してからのこと、
野原に僕の家《うち》の野羊《やぎ》が放してあつたのを
あなたは、それが家《うち》のだとしらずに、
それと、暫く遊んでゐました

僕は背戸《せど》から、見てゐたのでした。

僕がどんなに泣き笑ひしたか、
野原の若草に、夕陽が斜めにあたつて
それはそれは涙のやうな、きれいな夕方でそれはあつた。

（一九三五・一・一一）

終歌

噛《ほ》んでやれ。叩いてやれ。
吐《ほ》き出してやれ。
吐き出してやれ！

噛んでやれ。（マシマロやい。）
噛んでやれ。
吐《ほ》き出してやれ！

（懐かしや。恨めしや。）
今度会つたら、
どうしよか？

嚙んでやれ。嚙んでやれ。
叩いて、叩いて、
叩いてやれ！

（一九三五・一・一一）

月夜とポプラ

木《こ》の下かげには幽霊がゐる
その幽霊は、生れたばかりの
まだ翼《はね》弱いかうもりに似て、
而《しか》もそれが君の命を
やがては覘《ねら》はうと待構へてゐる。
（木《こ》の下かげには、かうもりがゐる。）
そのかうもりを君が捕つて
殺してしまへばいいやうなものの

それは、影だ、手にはとられぬ
而も時偶《ときたま》見えるに過ぎない。
僕はそれを捕つてやらうと、
長い歳月考へあぐむだ。
けれどもそれは遂に捕れない、
捕れないと分つた今晩それは、
なんともかんともありありと見える——

（一九三五・一・一一）

僕と吹雪

自然は、僕といふ貝に、
花吹雪《はなふぶ》きを、激しく吹きつけた。
僕は、現識過剰で、

腹上死同然だつた。

自然は、僕を、
吹き通してカラカラにした。

僕は、現識の、
形式だけを残した。

僕は、まるで、
論理の亡者。

僕は、既に、
亡者であつた！

　祈禱す、世の親よ、子供をして、呑気にあらしめよ
かく慫慂《しょうよう》するは、汝が子供の、性に目覚めること、
遅からしめ、それよ、神経質なる者と、なさざらん
ためなればなり。

不気味な悲鳴

如何《いか》なれば換気装置の、穹窿《きゆうりゆう》の一つの隅に
蒼ざめたるは？
ランボオ

僕はもう、何にも欲しはしなかつた。
暇と、煙草とくらゐは欲したかも知れない。
僕にはもう、僅《わず》かなもので足りた。

そして僕は次第に次第に灰のやうになつて行つた。
振幅のない、眠りこけた、人に興味を与へないものに。
而《しか》もそれを嘆くべき理由は何処にも見出せなかつた。

僕は眠い、——それが何だ？

（一九三五・一・一）

僕は物憂い、――それが何だ？
僕が眠く、僕が物憂いのを、僕が嘆く理由があらうか？

かくて僕は坐り、僕はもう永遠に起ち上りさうもなかつた。

※

然《しか》しさうなると、またさすがに困つて来るのであつた。
何をとか？――多分、何となくと答へるよりほかもない。
何となら再び起《た》ち上れとは誰も云ふまいし、
起ち上らうと思ふがものもないのにも猶《なお》困つて来るのであつたから。

僕はいつそ死なうと思つた。
而も死なうとすることはまた起ち上ることよりも一層の大儀であつた。

かくて僕は天から何かの恵みが降つて来ることを切望した。
而もはや、それは僕として勝手な願ひではなかつた。
僕は真面目に天から何かゞ降つて来ることを願つた。
それが、ほんの瑣細《ささい》なものだらうが、それは構ふ所でなかつた。

——僕はどうすればいいか？

（一九三五・一・一一）

※

十二月《しはす》の幻想

ウー……と、警笛が鳴ります、ウウー……と、
皆さん、これは何かの前兆です、皆さん！
吃度《きつと》何かが起こります、夜の明け方に。
吃度何かゞ夜の明け方に、起こると僕は感じるのです

——いや、そんなことはあり得ない、決して。
そんなことはあり得ようわけがない。
それはもう、十分冷静に判断の付く所だ。

それはもう、実証的に云つてさうなんだ……。

ところで天地の間には、
人目に付かぬ条件があつて、
それを計上しない限りで、
諸君の意見は正しからうと、

一夜彗星《すいせい》が現れるやうに
天変地異は起ります
そして恋人や、親や、兄弟から、
君は、離れてしまふのです、君は、離れてしまふのです

（一九三五・四・二三）

大島行葵丸にて

——夜十時の出帆

夜《よる》の船より僕《ぼか》唾《つば》吐いた
ポイ　と音《おと》して唾《つば》とんでつた
瞬時《しばし》浪間に唾《つば》白かつたが
ぢきに忽《(たちま)》ち見えなくなつた

観音岬に燈台はひかり
ぐるりぐるりと射光《ひかり》は廻つた
僕はゆるりと星空見上げた
急に吾子《こども》が思ひ出された

さだめし無事には暮らしちやゐようが
凡《(およ)》そ理性の判ずる限りで
無事でゐるとは思つたけれど
それでゐてさへ気になつた

春の消息

生きてゐるのは喜びなのか
生きてゐるのは悲みなのか
どうやら僕には分らなんだが
僕は街《まち》なぞ歩いてゐました

店輔《てんぽ》々々に朝陽はあたつて
淡《あは》い可愛いい物々の蔭影《かげ》
僕はそれでも元気はなかつた
どうやら　足引摺《ひきず》つて歩いてゐました

生きてゐるのは喜びなのか

（一九三五・四・二四）

生きてゐるのは悲しみなのか

こんな思ひが浮かぶといふのも
たゞたゞ衰弱《よは(つ)》てゐるせゐだろか？
それとももともとこれしきなのが
人生といふものなのだらうか？

尤《(もっと)》も分つたところでどうさへ
それがどうにもなるものでもない
こんな気持になつたらなつたで
自然にしてゐるよりほかもない

さうと思へば涙がこぼれる
なんだか知らねえ涙がこぼれる
　悪く思つて下さいますな
　僕はこんなに怠け者

（一九三五・四・二四）

吾子《あこ》よ吾子《あこ》

ゆめに、うつつに、まぼろしに……
見ゆるは何ぞ、いつもいつも
心に纏《まと》ひて離れざるは、
いかなる愛、いかなる夢ぞ、

思ひ出でては懐かしく
心に沁《し》みて懐かしく
磯辺の雨や風や嵐が
にくらしうなる心は何ぞ

雨に、風に、嵐にあてず
育てばや、めぐしき吾子《あこ》よ、
育てばや、めぐしき吾子よ、
育てばや、あゝいかにせん

思ひ出でては懐かしく、
心に泌みて懐かしく、
吾子わが夢に入るほどは
いつもわが身のいたまるゝ

（一九三五・六・六）

桑名の駅

桑名の夜は暗かつた
蛙がコロコロ鳴いてゐた
夜更の駅には駅長が
綺麗な砂利を敷き詰めた
プラットホームに只《ただ》独り
ランプを持つて立つてゐた

桑名の夜は暗かつた
蛙がコロコロ泣いてゐた
焼蛤貝《やきはまぐり》の桑名とは
此処《ここ》のことかと思つたから
駅長さんに訊《たず》ねたら
さうだと云つて笑つてた

桑名の夜は暗かつた
蛙がコロコロ鳴いてゐた
大雨《おほあめ》の、霽《あが》つたばかりのその夜《よる》は
風もなければ暗かつた

（一九三五・八・一二）

「此の夜、上京の途なりしが、京都大阪間の不通のため、臨時関西線を運転す」

龍巻

龍巻の頸《くび》は、殊にはその後頭《こうとう》は
老廃血《ふるち》でいつぱい

曇つた日の空に
龍巻はさも威勢よく起上るけれど
実は淋しさ極まつてのことであり
やがても倒れなければならない

浪に返つた龍巻は
たゞたゞ漾《ただよ》ふ泡となり

呼んでも呼んでも、
もはや再起の心はない

山上のひととき

いとしい者の上に風が吹き
私の上にも風が吹いた

いとしい者はたゞ無邪気に笑つてをり
世間はたゞ遥《はる》か彼方《かなた》で荒くれてゐた

いとしい者の上に風が吹き
私の上にも風が吹いた

私は手で風を追ひのけるかに
わづかに微笑《ほほえ》み返すのだつた

（一九三五・九・一六）

いとしい者はたゞ無邪気に笑つてをり
世間はたゞ遥か彼方で荒くれてゐた

（一九三五・九・一九）

四行詩

山に登つて風に吹かれた
心は寒く冷たくあつた
過去は淋しく微笑してゐた
町では人が、うたたねしてゐた？

（秋が来た）

秋が来た。
また公園の竝木《なみき》路は、
すつかり落葉で蔽《おお》はれて、
その上に、わびしい黄色い夕陽は落ちる。

それは泣きやめた女の顔、
ワットマンに描《か》かれた淡彩、
裏ッ側は湿つてゐるのに
表面はサラッと乾いて、

細かな砂粒をうつすらと附け
まるであえかな心でも持つてるもののやうに、
遥《はる》かの空に、瞳を送る。

僕はしやがんで、石ころを拾つてみたり、

遐《とお》くをみたり、その石ころをちよつと放《ほ》つたり、
思ひ出したみたいにまた口笛を吹いたりします。

曇つた秋

1

或る日君は僕を見て嗤《わら》ふだらう、
あんまり蒼い顔してゐるとて、
十一月の風に吹かれてゐる、無花果《いちじく》の葉かなんかのやうだ、
棄てられた犬のやうだとて。

まことにそれはそのやうであり、
犬よりもみじめであるかも知れぬのであり
僕自身時折はそのやうに思つて
僕自身悲しんだことかも知れない

それなのに君はまた思ひ出すだらう
僕のゐない時、僕のもう地上にゐない日に、
あいつあの時あの道のあの箇所で
蒼い顔して、無花果の葉のやうに風に吹かれて、――冷たい午後だつた――
しよんぼりとして、犬のやうに捨てられてゐたと。

2

猫が鳴いてゐた、みんなが寝静まると、
隣りの空地で、そこの暗がりで、
まことに緊密でゆつたりと細い声で、
ゆつたりと細い声で闇の中で鳴いてゐた。

あのやうにゆつたりと今宵一夜《ひとよ》を
鳴いて明《あか》さうといふのであれば
さぞや緊密な心を抱いて
猫は生存してゐるのであらう……

あのやうに悲しげに憧れに充ちて
今宵ああして鳴いてゐるのであれば
なんだか私の生きてゐるといふことも
まんざら無意味ではなささうに思へる……

猫は空地の雑草の蔭で、
多分は石ころを足に感じ
その冷たさを足に感じ、
霧の降る夜を鳴いてゐた——

3

君のそのパイプの、
汚れ方だの燋《(こ)》げ方だの、
僕はいやほどよく知つてるが、
気味の悪い程鮮明に、僕はそいつを知つてるのだが……

　今宵ランプはポトホト燻《かざ》り
君と僕との影は床《ゆか》に

　　或ひは壁にぼんやりと落ち、
　　遠い電車の音は聞こえる

君のそのパイプの、
汚れ方だの燋げ方だの、
僕は実によく知つてるが、
それが永劫《えいごう》の時間の中では、どういふことになるのかねえ?――

　　今宵私の命はかゞり
　　君と僕との命はかゞり、
　　僕等の命も煙草のやうに
　　どんどん燃えてゆくとしきや思へない

まことに印象の鮮明といふこと
我等の記臆、謂《い》はば我々の命の足跡が
あんまりまざまざとしてゐるといふことは
いつたいどういふことなのであらうか

今宵ランプはポトホト燻り
君と僕との影は床に
或ひは壁にぼんやりと落ち、
遠い電車の音は聞える

どうにも方途がつかない時は
諦めることが男々しいことになる
ところで方途が絶対につかないと
思はれることは、まづ皆無

そこで命はポトホトかゞり
君と僕との命はかゞり
僕等の命も煙草のやうに
どんどん燃えるとしきや思へない

コホロギガ、ナイテ、ヰマス
シウシンラッパガ、ナッテ、ヰマス

デンシヤハ、マダマダ、ウゴイテ、ヰマス
クサキモ、ネムル、ウシミツドキデス
イイエ、マダデス、ウシミツドキハ
コレカラ、ニジカン、タツテカラデス
ソレデハ、ボーヤハ、マダオキテヰテイイデスカ
イイエ、ボーヤハ、ハヤクネルノデス
ネテカラ、ソレカラ、オキテモイイデスカ
アサガキタナラ、オキテイイノデス
アサハ、ドーシテ、コサセルノデスカ
アサハ、アサノホーデ、ヤツテキマス
ドコカラ、ドーシテ、ヤツテクル、ノデスカ
オカホヲ、アラツテ、デテクル、ノデス
ソレハ、アシタノ、コトデスカ
ソレガ、アシタノ、アサノ、コトデス
イマハ、コホロギ、ナイテ、ヰマスネ
ソレカラ、ラツパモ、ナツテ、ヰマスネ
デンシヤハ、マダマダ、ウゴイテ、ヰマス
ウシミツドキデハ、マダナイデスネ

ヲハリ

（一九三五・一〇・五）

夜半の嵐

松吹く風よ、寒い夜《よ》の
われや憂き世にながらへて
あどけなき、吾子《あこ》をしみればせぐくまる
おもひをするよ、今日このごろ。

人のなさけの冷たくて、
真《しん》はまことに響きなく……
松吹く風よ、寒い夜《よ》の
汝《なれ》より悲しきものはなし。

酔覚めの、寝覚めかなしくまづきこゆ
汝《なれ》より悲しきものはなし。
口渇くとて起出でて
水をのみ、渇きとまるとみるほどに
吹き寄する風よ、寒い夜の

咯痰《かくたん》すれば脣《くち》寒く
また床《とこ》に入り耳にきく
夜半の嵐の、かなしさよ……
それ、死の期《とき》もかからまし

雲

山の上には雲が流れてゐた

あの山の上で、お弁当を食つたこともある……
　女の子なぞといふものは
　由来桜の花弁《はなびら》のやうに、
　欣《よろこ》んで散りゆくものだ

近い過去も遠いい過去もおんなじこつた
近い過去はあんまりまざまざ顕現するし
遠いい過去はあんまりもう手が届かない

山の上に寝て、空をみるのも
此処《ここ》にゐて、あの山をみるのも
所詮は同じ、動くな動くな

あゝ、枯草を背に敷いて
やんわりぬくもつてゐることは
空の青が、少しく冷たくみえることは
煙草を喫ふなぞといふことは
世界的幸福である

砂　漠

砂漠の中に、
　火が見えた！
砂漠の中に、
　火が見えた！

　あれは、なんでがな
　　あつたらうか？
　あれは、なんでがな
　　あつたらうか？

陽炎《かげろう》は、襞《ひだ》なす砂に
　ゆらゆれる。
陽炎は、襞なす砂に
　ゆらゆれる。

　砂漠の空に、
　　火が見えた！

砂漠の空に、
火が見えた！
あれは、なんでがな
あつたらうか？
あれは、なんでがな
あつたらうか？
疲れた駱駝《らくだ》よ、
無口な土耳古人《ダッチ》よ、
あれは、なんでがな
あつたらうか？
疲れた駱駝は、
己が影みる。
無口な土耳古人《ダッチ》は
そねまし目をする。

砂丘の彼方《かなた》に、
火が見えた。
砂丘の彼方に、

火が見えた。

一夜分の歴史

その夜は雨が、泣くやうに降つてゐました。
瓦はバリバリ、煎餅かなんぞのやうに、
割れ易いものの音を立ててゐました。
梅の樹に溜つた雨滴《しづく》は、風が襲ふと、
他の樹々のよりも荒つぽい音で、
庭土の上に落ちてゐました。
コーヒーに少し砂糖を多い目に入れ、
ゆつくりと掻き混ぜて、さてと私は飲むのでありました。

と、そのやうな一夜が在つたといふこと、
明らかにそれは私の境涯の或る一頁であり、

それを記憶するものはただこの私だけであり、
その私も、やがては死んでゆくといふこと、
それは分り切つたことながら、また驚くべきことであり、
而も《しか》驚いたつて何の足しにもならぬといふこと……
——雨は、泣くやうに降つてゐました。
梅の樹に溜つた雨滴《しづく》は、他の樹々に溜つたのよりも、
風が吹くたび、荒つぽい音を立てて落ちてゐました。

小唄二篇

一

しののめの、
よるのうみにて
汽笛鳴る。

心よ
起きよ、
目を覚ませ。

しののめの、
よるのうみにて
汽笛鳴る、

象の目玉の、
汽笛鳴る。

二

僕は知つてる煙《けむ》が立つ
　三原山には煙が立つ

行つてみたではないけれど
　雪降りつもつた朝《あした》には

寝床の中で呆然《ぼうぜん》と
　煙草くゆらし僕思ふ
三原山には煙が立つ
　三原山には煙が立つ

断片

（人と話が合ふも合はぬも
所詮は血液型の問題ですよ）？……

恋人よ！　たとへ私がどのやうに今晩おまへを思つてゐようと、また、おまへが私をどのやうに思つてゐようと、百年の後には思ひばかりか、肉体さへもが影をもとどめず、そして、冬の夜《よる》には、やつぱり風が、煙突に咆《ほ》えるだらう……
おまへも私も、その時それを耳にすべくもないのだし……

さう思ふと私は淋しくてたまらぬ
さう思ふと私は淋しくてたまらぬ
勿論《もちろん》このやうな思ひをすることが平常《いつも》ではないけれど、またこんなことを思つてみたところでどうなるものでもないとは思ふけれど、時々かうした淋しさは訪れて来て、もうどうしやうもなくなるのだ……

（人と話が合ふも合はぬも
所詮は血液型の問題ですよ）？……

さう云つてけろけろしてゐる人はしてるもいい……

さう云つてけろけろしてゐる人はしてるもいい……

人と話が合ふも合はぬも、所詮は血液型の問題であつて、だから合ふ人と合へばいい合はぬ人とは好加減《いいかげん》にしてればいい、と云つてけろけろ出来ればなんといいこつたらう……

恋人よ！　今宵煙突に凩は咆え、
僕は灯影《ほかげ》に坐つてゐます
そして、考へたつてしやうのないことばかりが考へられて
耳ゴーと鳴つて、柚子《ゆず》酸ッぱいのです

そして、僕の唱へる呪文《じゆもん》（？）ときたら
笑つちや不可《いけ》ない、こんなものです
　ラリルレロ、カキクケコ
　ラリルレロ、カキクケコ

現にかういつてゐる今から十年の前には、
あの男もゐたしあの女もゐた
今もう冥土に行つてしまつて
その時それを悲しんだその母親も冥土に行つた
もう十年にもなるからは
冥土にも相当お馴れであらうと
冗談さへ云ひたい程だが
とてもそれはさうはいかぬ

十二年前の恰度《ちようど》今夜
その男と火鉢を囲んで煙草を吸つてゐた
その煙草が今夜は私独りで吸つてゐるゴールデンバットで、
ゴールデンバットと私とは猶《なお》存続してるに
あの男だけゐないといふのだから不思議でたまらぬ
勿論あの男が埋葬されたといふことは知つてるし
とまれ僕の気は慥《たし》かなんだ
だが、気が慥かといふことがまた考へやうによつては、たまらないくらゐ悲しいことで
気が慥かでさへなかつたならば、尠《すくな》くとも、僕程に気が慥かでさへなかつたならば、
かうまざまざとあの男をだつて今夜此処《ここ》で思ひ出すわけはないのだし、思ひ出して、
妙な気持（然《しか》り、妙な気持、だつてもう、悲しい気持なぞといふことは通り越してゐる）にならないでもすみさうだ

そして、
（人と話が合ふも合はぬも
所詮は血液型の問題ですよ）と云つて
僕も、万事都合といふことだけを念頭に置いて

考へたつて益にもならない、こんなことなぞを考へはしないで、尠くも今在るよりは
裕福になつてゐたでもあらうと……

暗い公園

雨を含んだ暗い空の中に
大きいポプラは聳《そそ》り立ち、
その天頂《てつぺん》は殆んど空に消え入つてゐた。

六月の宵、風暖く、
公園の中に人気はなかつた。
私はその日、なほ少年であつた。

ポプラは暗い空に聳り立ち、
その黒々と見える葉は風にハタハタと鳴つてゐた。

仰ぐにつけても、私の胸に、希望は鳴つた。

今宵も私は故郷《ふるさと》の、その樹の下に立つてゐる。
其《（そ）》の後十年、その樹にも私にも、
お話する程の変りはない。

けれど、あゝ、何か、何か……変つたと思つてゐる。

（一九三六・一一・一七）

夏の夜の博覧会はかなしからずや

夏の夜の、博覧会は、哀しからずや
雨ちよと降りて、やがてもあがりぬ
夏の夜の、博覧会は、哀しからずや

女房買物をなす間、かなしからずや
象の前に余と坊やとはゐぬ
二人蹲《しやが》んでゐぬ、かなしからずや、やがて女房きぬ

三人博覧会を出でぬかなしからずや
不忍《しのばず》ノ池の前に立ちぬ、坊や眺めてありぬ

そは坊やの見し、水の中にて最も大なるものなりきかなしからずや、
髪毛風に吹かれつ
見てありぬ、見てありぬ、
それより手を引きて歩きて
広小路に出でぬ、かなしからずや

広小路にて玩具を買ひぬ、兎の玩具かなしからずや

2

その日博覧会に入りしばかりの刻《とき》は
なほ明るく、昼の明《あかり》ありぬ、

われら三人《みたり》飛行機にのりぬ
例の廻旋する飛行機にのりぬ

飛行機の夕空にめぐれば、
四囲の燈光また夕空にめぐりぬ

夕空は、紺青《こんじよう》の色なりき
燈光は、貝釦《かいボタン》の色なりき

その時よ、坊や見てありぬ
その時よ、めぐる釦を
その時よ、坊やみてありぬ
その時よ、紺青の空！

（一九三六・一二・二四）

療養日誌・千葉寺雑記（一九三七年）

（丘の上サあがつて、丘の上サあがつて）

丘の上サあがつて、丘の上サあがつて、
千葉の街サ見たば、千葉の街サ見たばヨ、
県庁の屋根の上に、県庁の屋根の上にヨ、
緑のお椀が一つ、ふせてあつた。
そのお椀にヨ、その緑のお椀に、
雨サ降つたば、雨サ降つたばヨ、
つやがー出る、つやがー出る

道修山夜曲

星の降るよな夜《よる》でした、
松の林のその中に
僕は蹲《しやが》んでをりました。

星の明りに照らされて、
折しも通るあの汽車は
今夜何処《どこ》までゆくのやら。

松には今夜風もなく、
土はジツトリ湿つてる。
遠く近くの笹の葉も、
しづもりかへつてゐるばかり。

星の降るよな夜でした、

松の林のその中に
僕は蹲んでをりました。

（一九三七・二・二）

（短歌五首）

ゆふべゆふべ我が家恋しくおもゆなり
草葉ゆすりて木枯の吹く

小田の水沈む夕陽にきららめく
きららめきつゝ沈みゆくなり

沈みゆく夕陽いとしも海の果て
かゞやきまさり沈みゆくかも

町々は夕陽を浴びて金《きん》の色
　きさらぎ二月冷たい金なり
母君よ涙のごひて見給へな
　われはもはやも病ひ癒えたり

泣くな心

私は十七で都会の中に出て来た。
私は何も出来ないわけではなかつた。
しかし私に出来るたつた一つの仕事は、
あまり低俗向ではなかつた。

誰しも後戻りしようと願ふ者はあるまい、
そこで運を天に任せて、益々《ますます》自分に出来るだけのことをした。

さうして十数年の歳月が過ぎた。
母はたゞ独りで郷《くに》で気を揉んでゐた。

私はそれを気の毒だと思つた。
しかしそれをどうすることも出来なかつた。
私自身もそれで気を揉む時もあつた。
そのために友達と会つてても急に気がその方に移ることもあつた。

そのうちどうもあいつはくさいと思はれた時もあつた。
あとでは何時《いつ》でも諒解《りようかい》して貰へたが。
しかしそのうち気を揉むことは遂に私のくせとなつた。
由来憂鬱な男となつた。

由来褒められるとしても作品ばかり。
人間はどうも交際《つきあ》ひにくいと思はれたことも偶《たま》にはあつた。
それは誤解だとばかり私は弁解之《これ》つとめた。
さうして猶更《なおさら》嫌はれる場合もあつた。

さうかうするうちに子供を亡くした。
私はかにかくにがつかりとした。
その挙句が此度の神経衰弱、
何とも面目ないことでございます。

今もう治療奏効して大体何もかも分り、
さてこそ今度はほがらかに本業に立返りたいと思つても、
余後の養生のためなのか、
まだ退院のお許しが出ず、

日々訓練作業で心身の鍛練をしてをれど、
もともと実生活人のための訓練作業なれば、
まがりなりにも詩人である小生には、
えてしてひよつとこ踊りの材料となるばかり。

それ芸術といふものは、謂《い》はば人が働く時にはそれを眺め、
人が休む時になつてはじめて仕事のはじまるもの、
人が働く時にその働く真似をしてゐたのでは、

とんだ喜劇にしかなりはせぬ、しかしながら、

これも何かの約束かと、
出来る限りは努めてもをれど、
そんな具合に努めることは、
本業のためにはどんなものだか。

たつた少しの自分に出来ることを、
減らすことともなるではあるまいかと
時には杞憂《きゆう》も起るなれど、
院長に話すは恐縮であるし

万事は前世の約束なのかと、
老婆の言葉の味も味はひ、
かうして未だに患者生活、
「泣くな心よ、怖るな心」か。

追記、詩は要するに生活側より云へば観念的現実なれば、実生活的現実には非《あら》ざれど、聊《いささ》か弁解を加へ置かんこと何れにせよよきことと思へば、左に一言附加へ申す。この詩でみれば、小生院長を怖れゐるかの如く見ゆるかも知れねど、病院迄余を伴ひたる母を怖るなり。而《しか》も母を悪く思ふどころにはあらねど、母のいたつてさばけぬ了見が人様に物申す時、兎角《とかく》事実を尨大《ぼうだい》にすることを怖るなり。これは幼稚園以来のことにて、幼稚園の先生に会ひにゆきて「少しうちの子をひどくして下され」なぞ申すなり。格別小生が悪いのでもなんでもないなり、たゞよい上にもよくしようとの母の理想派的気性より出づるなり。何のことはない、急に幼稚園の先生がこはい顔したりする日ありけり。考へてみれば前日あたり母が幼稚園に来たのなり。

母を悪く申すではなけれど、謂はば母のあまりに母らし過ぎるを、世間に表明せざれば、今後とも、ばかを見ることありと思ふなり。過ぎたるは及ばざるが如しとか、母の愛も過ぎては、害生ずる時もあり得るなるか。

雨が降るぞえ

——病棟挽歌

雨が、降るぞえ、雨が、降る。
今宵は、雨が、降るぞえ、な。
俺はかうして、病院に、
しがねえ、暮しをしては、ゐる。

雨が、降るぞえ、雨が、降る。
今宵は、雨が、降るぞえ、な。
たんたら、らららら、らららら、ら、
今宵は、雨が、降るぞえ、な。

人の、声さへ、もうしない、
まつくらくらの、冬の、宵。
隣りの、牛も、もう寝たか、
ちつとも、藁のさ、音もせぬ。

と、何号かの病室で、
硝子戸《ガラスど》、開ける、音が、する。
空気を、換へると、いふぢやんか、
それとも、庭でも、見るぢやんか。

いや、そんなこと、分るけえ。
いづれ、侘《わび》しい、患者の、こと、
たゞ、気まぐれと、いはば気まぐれ、
庭でも、見ると、いはばいふまで。

たんたら、らららら、雨が、降る。
たんたら、らららら、雨が、降る。
牛も、寝たよな、病院の、宵、
たんたら、らららら、雨が、降る。

（了）

草稿詩篇（一九三七年）

春と恋人

美しい扉の親しさに
私が室《へや》で遊んでゐる時、
私にかまはず実《みの》つてた
新しい桃があつたのだ……

街の中から見える丘、
丘に建つてたオベリスク、
春には私に桂水くれた
丘に建つてたオベリスク……

蜆《しじみ》や鰯《（いわし）》を商《あきな》ふ路次の
びしよ濡れの土が歌つてゐる時、
かの女は何処《（どこ）》かで笑つてゐたのだ

港の春の朝の空で
私がかの女の肩を揺つたら、
真鍮《（しんちゆう）》の、盥《たらひ》のやうであつたのだ……

以来私は木綿の夜曲？
はでな処《とこ》には行きたかない……

少女と雨

少女がいま校庭の隅に佇《（たたず）》んだのは

其処《そこ》は花畑があつて菖蒲《しようぶ》の花が咲いてるからです

菖蒲の花は雨に打たれて
音楽室から来るオルガンの　音を聞いてはゐませんでした

しとしとと雨はあとからあとから降つて
花も葉も畑の土ももう諦めきつてゐます

その有様をジッと見てると
なんとも不思議な気がして来ます

山も校舎も空の下《もと》に
やがてしづかな回転をはじめ

花畑を除く一切のものは
みんなとつくに終つてしまつた　夢のやうな気がしてきます

夏と悲運

とど、俺としたことが、笑ひ出さずにやゐられない。

思へば小学校の頃からだ。
例へば夏休みも近づかうといふ暑い日に、
唱歌教室で先生が、オルガン弾いてアーエーイー、
すると俺としたことが、笑ひ出さずにやゐられなかつた。
格別、先生の口唇が、鼻腔が可笑《おか》しいといふのではない、
起立して、先生の後《あと》から歌ふ生徒等が、可笑しいといふのでもない、
それどころか俺は大体、此の世に笑ふべきものが存在《ある》とは思つてもゐなかつた。
それなのに、とど、笑ひ出さずにやゐられない、
すると先生は、俺を廊下に出して立たせるのだ。
俺は風のよく通る廊下で、淋しい思ひをしたもんだ。
俺としてからが、どう解釈のしやうもなかつた。
別に邪魔になる程に、大声で笑つたわけでもなかつたし、

然《しか》し先生がカン〳〵になつてゐることも事実だつたし、
先生自身何をそんなに怒るのか知つてゐぬことも事実だつたし、
俺としたつて意地やふざけで笑つたわけではなかつたのだ。
俺は廊下に立たされて、何がなし、「運命だ」と思ふのだつた。

大人となつた今日でさへ、さうした悲運はやみはせぬ。
夏の暑い日に、俺は庭先の樹の葉を見、蝉を聞く。
やがて俺は人生が、すつかり自然と游離してゐるやうに感じだす。
すると俺としたことが、もう何をする気も起らない。
格別俺は人生が、どうのかうのと云ふのではない。
理想派でも虚無派でもあるわけではとんとない。
孤高を以て任じてゐるなぞといふのでは尚更《なおさら》ない。
しかし俺としたことが、とど、笑ひ出さずにやゐられない。
どうしてそれがさうなのか、ほんとの話が、俺自身にも分らない。
しかしそれが結果する悲運ときたらだ、いやといふほど味はつてゐる。

（一九三七・七）

（曽てはランプを、とぼしてゐたものなんです）

曽《かつ》てはランプを、とぼしてゐたものなんです。
今もう電燈《でんき》の、ない所は殆んどない。
電燈もないやうな、しづかな村に、
旅をしたいと、僕は思ふけれど、
却々《なかなか》それも、六ヶ敷《むつかし》いことなんです。

吁《ああ》、科学……
こいつが俺には、どうも気に食はぬ。
ひどく愚鈍な奴等までもが、
科学ときけばにつこりするが、
奴等にや精神《こころ》の、何事も分らぬから、
科学とさへ聞きや、につこりするのだ。

汽車が速いのはよろしい、許す！

汽船が速いのはよろしい、許す！
飛行機が速いのはよろしい、許す！
電信、電話、許す！
其《そ》の他はもう、我慢がならぬ。
知識はすべて、悪魔であるぞ。
やんがて貴様等にも、そのことが分る。

エエイッ、うるさいではないか電車自働車と、
ガタガタ〳〵、朝から晩まで。
いつそ音のせぬのを発明せい、
音はどうも、やりきれぬぞ。

エエイッ、音のないのを発明せい、
音のするのは、みな叩き潰《つぶ》せい！

秋の夜に、湯に浸り

秋の夜に、独りで湯に這入《はい》ることは、
淋しいぢやないか。

秋の夜に、人と湯に這入ることも亦《また》、
淋しいぢやないか。

話の駒が合つたりすれば、
その時は楽しくもあらう
然しそれといふも、何か大事なことを
わきへ置いといてのことのやうには思はれないか？

――秋の夜に湯に這入るには……
独りですべきか、人とすべきか？

所詮は何も、
決ることではあるまいぞ。

されぱいつそ、潜《もぐ》つて死にやれ！
それとも汝、熱中事を持て！

※　　※　　※

四行詩

おまへはもう静かな部屋に帰るがよい。
煥発《かんぱつ》する都会の夜々の燈火を後《あと》に、
おまへはもう、郊外の道を辿《たど》るがよい。
そして心の呟《つぶや》きを、ゆつくりと聴くがよい。

語註　見出しの上の数字は頁数を示す。

山羊の歌

21 **自《み》ら**　「みずから」と訓む。

22 **趾頭舞踊**　爪先立ちでおどる舞踊の意か。

23 **劊手**　傷つける手。または首切り役人の意。

25 **劫々と**　永遠に、果てしなく。「ごうごうと」または「こうこうと」。

28 **はなだ色**　薄い藍色。

32 **イカムネ・カラア**　「イカムネ」は「烏賊胸」。燕尾服・タキシード用のドレスシャツのこと。糊で固めた胸当てが烏賊に似たそのウイングカラー。

34 **サイレン**　ギリシア神話に現れる海の精。セイレンとも。

34 **錫**　錫杖《しやくじよう》。僧侶などが持つ杖の意か。金属の輪が付いており、振ると音をたてる。

34 **天鼓**　「てんこ」または「てんく」。自然に美しい音を発するという天上の太鼓。また、雷の意。

39 **マルガレエテ**　ゲーテ『ファウスト』中の登場人物グレートヒェンのこと。

40 **脬嚢**　膀胱のこと。牛や豚の膀胱は、氷を入れて病気のときに頭を冷やす袋（氷嚢）として用いられた。

55 **瘴気**　熱病を起こさせる山川の毒気。

56 **ピョートル大帝**　ロシア皇帝ピョートル一世（在位一六八二―一七二五）。欧州征服の意志を持ち、国家・社会の大改革を行った。

58 **カドリール**　カドリーユ（quadrille〈仏〉）。四人ずつ一組になって方陣を作っておどるフランスの舞踊。日本へは鹿鳴館時代に紹介された。

60 **影祭**　「陰祭」（例祭のない年に行われる略式の祭）の意か。

70 **はららかに**　静かに、はらはらと。

71 **ペエヴ**　ペーブメント（pavement〈英〉舗装した道）の略。

71 **荷足《にたり》**　荷足船。河川の運送や渡しなどに用いられた小型の和船。関東各地で江戸時代から用いられた。

74 **儀文**　形式・型。ここでは、礼儀正しい振る舞いか。
76 破笑　中原の造語か。破れかぶれで笑うしかない、の意か。
76 晦瞑　暗闇。「晦冥」とも書く。
80 たゆけさ　疲れ、だるさ。緩んでしまりのない状態。
87 額《ぬか》　ひたいのこと。
89 倦怠《けだい》　通例「けんたい」と訓み、飽きておこたること。ここでは「懈怠《けだい》」（なまけること）の意。
91 わいだめ　区別、けじめ。
99 懶懦　「懶惰」のこと。怠けおこたるさま。ここでは、「怠けもので臆病」の意か。
107 パラドクサル　paradoxal（仏）逆説的な。
108 しみらの　「しみらに」は「すきまなくいっぱいに」の意。あるいは「凍《しみ》る」の意も込めるか。
108 謙抑　控え目にして自分をおさえること。
109 あらぬがに　「ないかのように」の意だが、ここでは「ないのに」の意か。
113 黝む　「黝」は、青みがかった黒。「少年時」（『山羊の歌』）では、「黝《あをぐろ》い」。
114 なよびかに　やわらかなさま。なよなよと。しなやかに。
115 しほだる　潮垂る。濡れて雫が垂れる。
115 籬《まがき》　竹や柴などを編んだ垣根。
120 耳朶《みみのは》　山口方言でみみたぶのこと。
122 醺《かび》　「醭」の誤記か。
123 Pour tout homme〜　「誰でも疲れる時は来る——俚諺。」（中原訳）。
123 Il faut〜　「先づ渇きを……。——カトリーヌ・ド・メディシス」。カトリーヌ・ド・メディシスは、一六世紀のフランス王妃。
130 ソロモン　古代イスラエルの王。
131 悉皆　「しっかい」とも訓むが、ここでは編者ルビ「すっかり」を付した。

在りし日の歌

138 あすとらかん　astrakhan（英）ロシア・アストラハン地方で産する子羊の毛皮。ここでは、毛皮ではなく子羊のことか。
140 臘祭　元来は古代中国の旧暦一二月の行事。猟の獲物を先祖の霊にささげる祭。

141 **偏菱形＝聚接面**　「偏菱形」は一組の辺がそれぞれ等長の四角形。「聚接面」は多くの面。「白薔薇」の「花弁」の集合の図形的なイメージか。

143 **舎密**《せいみ》　cheime〔蘭〕化学の旧称。

146 **蘘荷**《めうが》　茗荷。若芽・花の苞は食用。俗に、茗荷を食べるともの忘れをするとされる。

146 **済製場**　包帯・ガーゼ・脱脂綿などを、洗濯・消毒する部屋。

146 **紅殻色**《べんがら》　赤みの強い茶色。「弁柄色」とも書く。

149 **バット**　ゴールデンバット。国産煙草の銘柄。

150 **稚厠**《おかは》　持ち運びできる便器。おまる。当時もっとも普及していた。

153 **櫺子**《れんじ》　窓などに、一定の間隔で細長い木や竹を取り付けた格子。

162 **カスタニエット**　楽器のカスタネットのこと。

164 **コボルト**　Kobold〔独〕ドイツの伝説に出てくる妖精。

168 **木履**　「ぼくり」「ぼっくり」「ぽっくり」とも。または「きぐつ」。「ぼくり」は女児などがはく、厚い底をえぐった塗り下駄。山口方言で高下駄の意味も。

173 **ジュピター神**　ローマ神話の主神。気象・国家などの神として崇められた。

181 **顥気**　天上に漂う白く明るい気。

186 **デーデー屋さん**　でいでい屋。雪駄・下駄をなおす職人。「でいでい」はその呼び名。

186 **ヂオゲネス**　ギリシアの人名。紀元前四世紀の哲学者「樽のディオゲネス」が有名。

196 **軋音**　車のきしる音の意。

197 **良夜**《あたらよ》　朝が来るのが惜しく感じられるほどすばらしい夜。惜夜。

197 **石盤色**　青みがかった黒色。石盤は石板とも書き、蠟石や白墨などを使って文字や絵図を書く。

199 **竦然**　こわがってびくびくするさま。

204 **とちれて**　山口方言で、「まごまごして」の意。「とちる」の意も含むか。

214 **霧つた**　訓みは「けむった」「もやった」、あるいは「きらった」「きった」など。

214 **食うべ**　古語「とうべ（たうべ）」か。

216 **大高源吾**　元禄一五年一二月、吉良邸に討ち入った赤穂浪士の一人。

216 **矢来**　竹や丸太などを粗く組んで作った囲い。

220 **大原女** 京都市郊外の大原から市中へ物売りに来る女性。「おおはらめ」とも訓む。

225 **放《ほか》して** 「ほかす」は関西・西日本方言で、「捨てる」の意。

230 **硅石** 珪石。珪素の化合物から成る鉱物。結晶したものに水晶や石英がある。

230 **個体** 「固体」の意も含まれるか。

236 **号笛《フイトル》** 「フイトロ」「フエトロ」とも。汽船や汽車などの汽笛のこと。

242 **チルシスとアマント** ともにギリシア・ローマ神話に登場する、牧人の典型的な男性名。

246 **字板** 時計の文字盤のこと。

251 **長門峡** 山口市の北東約二〇キロの地にある、阿武川中流の峡谷。断崖や奇岩が続く景勝地。

253 **腓《ひ》** こむら。ふくらはぎ。

255 **丸ビル** 東京都千代田区丸の内にあった「丸ノ内ビルヂング」の略称。大正一二年完成。平成一〇年に解体。

257 **麦稈真田《ばくかんさなだ》** 麦藁を、真田ひものように平たく編んだもの。これで麦藁帽子を作る。

末黒野

270 **いぢら** 「いぢらし」の語幹か。「けなげで可憐な」の意。

271 **すざむき** 素寒き。「素」は強調の接頭語。

271 **饒津神社** 広島市にある神社。広島時代の中原家から歩いて行けた。

生前発表詩篇

初期短歌

279 **別府** 大分県別府市。

281 **たらへり** 満足する。

281 **犀川** 金沢市内を流れる川。中原は満五歳から六歳まで金沢市に住んだ。

281 **清二郎** 島田清次郎（一八九九—一九三〇）。小説家。石川県生まれ。小説『地上』で流行作家となった。「清二郎」は誤記あるいは誤植。

282 **草靴《わらじ》** 「わらじ」の意か。「革靴」「草履」「草鞋」などの誤植が考えられる。

詩篇

286 **おひきずり**　裾を引きずることから転じて、なまめかしくしゃれこんで、仕事をろくにしない女性をあざけっていう語。

287 **奸策**　悪巧み。

288 **櫂歌**　舟を漕ぎながらうたう歌。ふなうた。

293 **しかすがに**　そうはいうものの。

294 **チャールストン**　アメリカ南部の町チャールストン発祥のダンスの一種。第一次大戦後ブームとなり、日本でも昭和初期に流行。

300 **褐《かち》のかひな**　茶色く日焼けした腕。

304 **小竹**　当時、東京の芝浦にあった待合の名称。

307 **飛行機虫**　未詳。広島方言では松藻虫《まつもむし》。奈良方言では源五郎《げんごろう》、長野方言ではあめんぼう。

307 **クリンベルト**　未詳。

310 **夜はくだち**　夜はふけて。

320 **褐色《かちいろ》**　濃い藍色。ただしここでは茶褐色の意か。

324 **鹿児島半島**　薩摩半島または大隅半島のことか。

325 **牽強附会**　自分に都合が良いようにこじつけること。

325 **カタルシス**　catharsis〔英〕浄化。

327 **地均機械《ローラー・エンジン》**　地ならしや道路を固めるときに使う、エンジンのついたローラー、道ならし機。

327 **瓢亭**　酒場の意か。

328 **十能**　炭火を載せて運ぶ道具。金属製の容器に木の柄を付けたもの。

329 **エヤアメール**　airmail〔英〕航空郵便。ただし中原はアドバルーンの意で用いている。

329 **しじに**　しきりに。

329 **沈湎**　酒におぼれ不健康な生活をすること。

332 **かはたれどき**　明け方の薄暗い時。

335 **道修山**　中原が入院していた、千葉市千葉寺町の中村古峡療養所の所在地別称。

339 **沛然**　雨の激しく降るさま。

343 **こさはう**　「こさえよう」「こしらえよう」の意。

344 **Etude Dadaistique**　ダダ的習作の意。

349 **丹下左膳**　林不忘作の小説の主人公。隻眼隻手の剣士で昭和三年に初めて映画化。

350 **ささも**　些々も。少しも。

350 **かにかくに**　「とにかく、このように」の意。

354 **何条**　「なんという」の変化した語。ここでは

「どうして」の意。

未発表詩篇

ノート１９２４

360 **石版刷**　石版を使った印刷。「石版石」は元来は炭酸カルシウムを主成分とする石灰岩だが、広義には金属板を用いた印刷も「石版刷」という。

361 **智情意の三分法**　心の働きを、知性・感情・意志の三つの要素に分けること。

368 **ヒネモノ**　売れ残り品・きずものをいう山口方言。

368 **カクシ**　隠し。ポケットのこと。

369 **セメント菓子**　チューインガムの意か。

373 **カラカネ**　「唐金」か。唐金は、青銅のこと。中国から製法が伝わったことからいう。

377 **塗板**　トタン（鉄板に亜鉛をめっきしたもの）のあて字。

378 **臘涙**　「蠟涙」。蠟燭から溶けて流れた蠟のこと。

380 **オランダ時計**　舶来の時計。オランダ製に限らない。

383 **テンピ**　天火。蒸焼き器のこと。

385 **サンチマンタリズム**　sentimentalisme〔仏〕「サンチマンタリスム」。感傷主義。

388 **木馬**　「ダダ」の由来の一つに、フランスの幼児言葉dada（お馬）がある。

395 **ヲリ**　「滓」「澱」か。その場合の仮名遣いは「おり」。「をり」の場合は「折」「檻」か。また「ヲハリ」の誤記とも。

400 **リゾール石鹼**　消毒用のクレゾール石鹼。

403 **オーダン**　黄疸。胆嚢の異常で皮膚などが黄色くなる病気。

406 **サンチマンタル**　sentimental〔仏〕感傷的な。

407 **ハイフェン**　hyphen〔英〕ハイフン。外国語で二語をつなぐために使う短い線。

407 **スイミツトー**　水蜜桃。

409 **充足理由律**　哲学用語で、事実が成立するには、十分な理由を要求するという原理。

410 **バイプレー**　byplay〔英〕わきの演技。背景的演技。

410 **ヂレッタニズム**　dilettantism〔英〕正しくはディレッタンティズム。好事趣味、道楽。

410 **ギラ**　山口方言で、わがままの意。

410 **ケサン**　卦算。文鎮の一種。罫線を引くための定規としても使い、易の算木の恰好をしていることからこの名がある。

413 **代証人**　「公証人」「代言人」などの誤記か。

414 **目契**　「黙契」の誤記か。あるいは、目で執り行われる約束の意か。

416 **遂々**　「とうとう」と訓むか。

421 **悪弁**　原文は「悪辨」。「悪辯」の誤りか。「悪辨」は「分別がない」の意。

421 **輔石**　「舗石」の意。石だたみ。

423 **蜻蛉**　「とんぼ」または「あきつ」。

草稿詩篇（一九二五年―一九二八年）

424 **筒ッポオ**　筒袍《つつっぽう》。子供用の筒袖の着物。

424 **一閑張**　漆器の一つ。紙を張って漆を塗った細工物。

428 **おぢやつた**　「来た」「行った」の尊敬語。いらっしゃった。

429 **寒冷紗**　目の粗い薄地の綿織物。

430 **月汞**　水銀のように輝く月。「汞」は水銀の意。「月光」の意もあるか。

433 **コロイド**　微細な粒子が気体・液体・固体の中に分散している状態。

433 **ガリラヤの湖**　イスラエル北東部の淡水湖。イエス・キリストにゆかりが深い。

433 **したり**　「浸《ひた》り」の東京方言風の言い方か。

433 **天子**　本来は、皇帝の意だが、ここでは「天使」の意。

434 **マグデブルグの半球**　一七世紀、ドイツのマクデブルク市長ゲーリケが考案した、大気圧の実験装置。金属製半球を二つ密着させ、内側を真空にすると、引っ張っても離れなかった。

434 **レトルト**　レトルト管。蒸留などに用いる、化学実験器具。

435 **唐縮緬**　薄く柔らかい毛織物。メリンス。

438 **胸ぬち**　胸のうち。

442 **腓腸筋**　ふくらはぎの筋。「腓腸」は、ふくらはぎ。

442 **汐ぎ**　「凪ぎ」の誤記か。

446 **夕星**《ゆふづつ》　夕方、西の空に見える金星。宵の明星。

451 **紙魚**《たこ》　「紙鳶」の誤記か。「紙魚」は通例「しみ」と訓む。

451 **苜蓿《うまごやし》** 牧草の名。クローバー。

451 **あやに** なんとも不思議なことに。わけもわからず。

ノート小年時

460 **儀文** 形式・型。ここでは、礼儀正しい振る舞いの意か。

461 **トレモロ** tremolo〔伊〕音楽用語。同じ高さの音、または高さの違う二つの音を急速に反復して、震えるように歌ったり演奏したりすること。

462 **売笑婦** 売春婦と同じ。金銭で色を売る女性。

463 **嗜慾** 欲望のまま好きなように振る舞うこと。

472 **たゆけくも** ゆるやかに。しずかに。

472 **仰《あほ》ざまに** 仰向けになって。

476 **ゆたけく** 豊かに。

480 **たゆたさ** 「たゆけさ」(疲れていること。だるさ)の誤記、または「たゆたひ」からの造語か。

早大ノート

485 **外苑** 明治神宮外苑。

485 **千駄ヶ谷** 渋谷区の地名。明治神宮外苑は千駄ヶ谷に隣接する。

488 **ギタアル** guitare〔仏〕ギター。

489 **ビンツケ** 鬢付け油。日本髪用の練り油。

494 **結締組織** 動物の体の中で、細胞・組織・器官などの間を満たし結びつける組織。

495 **滅法界** はなはだしいさま。滅法。

496 **夜焚** 夜、船の上で火を焚き、漁をすること。夜焚き釣り。

498 **Qu'est-ce que c'est que moi?**〔仏〕私とは何か?

499 **ミレー** フランスの画家(一八一四―七五)。農民を好んで題材にし、「晩鐘」などで有名。

500 **ソーダ硝子** 板ガラスや窓ガラスに用いるガラス。ソーダ、石灰などを主成分とする。

502 **アセチリン** アセチレン。アセチレンガスを燃やして光源とする灯火。夜店の照明などに用いる。

502 **万年草** 万年杉、または雌万年草《めのまんねんぐさ》・雄万年草《おのまんねんぐさ》の別称。

503 **サーベル** 当時、軍人や警官が腰に下げた、西洋風の刀剣。

507 **あざむ**　驚きあきれる。または、「鮮やかに浮かぶ」の意か。

507 **げんげ田**　緑肥や家畜の飼料用に、げんげ（れんげ草）を栽培する畑。

509 **デカダン**　décadent〔仏〕一九世紀末フランスのデカダン派。退廃趣味・耽美主義などを特色とした。

509 **サンボリスム**　symbolisme〔仏〕象徴主義。一八八〇年代のフランスで起こった芸術運動。マラルメ、ヴェルレーヌ、ランボーらを先達と仰ぐ若い詩人たちによって推進された。

509 **キュビスム**　cubisme〔仏〕立体主義。二〇世紀初頭にピカソやブラックらによって開始された芸術運動。

509 **未来派**　未来主義を奉ずる一派。未来主義は、二〇世紀初頭のイタリアで詩人マリネッティの宣言に始まった前衛的な芸術運動。

509 **表現派**　カンディンスキーを代表とする、二〇世紀初頭の芸術上の一派。主観的表現を打ち出し、文学、演劇、映画などに影響を与えた。

509 **ダダイスム**　dadaisme〔仏〕第一次世界大戦中から大戦後にかけて、ツァラらにより展開された芸術運動。反合理主義・反道徳の態度を特色とする。

509 **スュルレアリスム**　surréalisme〔仏〕シュルレアリスム。超現実主義。一九二〇年ごろフランスの詩人ブルトンらによって始まった、文学・芸術上の運動。

510 **事変**　昭和六年九月に勃発した満州事変を指す。

516 **けざやかに**　はっきりと。さやかに。

517 **コキュー**　cocu〔仏〕寝取られた男。

517 **コンテ**　conté〔仏〕クレヨンの一種。鉛筆より柔らかく、素描に用いられる。

517 **お会式**　日蓮の忌日に修する法会。一〇月一三日前後。

520 **マルレネ・ディートリッヒ**　ドイツ生まれの映画女優（一九〇四―九二）。「嘆きの天使」「モロッコ」などに出演、グレタ・ガルボと並び称された。

520 **セミチック**　Semitic〔英〕ここではセム族の意。セム族は、ユダヤ人やアラビア人など、セム語系の言語を用いる民族の総称。

521 **エヤ・サイン** 広告気球（アドバルーン）の意。中原の誤用と考えられる。

529 **世話場** 歌舞伎用語で、日常生活、特に愁嘆場を演じる場面。

533 **Anywhere out of the world** 〔英〕「この世のほかなら何処へでも」。ボードレール『パリの憂鬱』中の詩の題名。

536 **アナルキスチイク** 無政府主義的な。anarchistic〔英〕をフランス語風に読んだもの。

539 **三富朽葉《くちば》** 詩人（一八八九—一九一七）。フランス象徴詩に関する翻訳・論文なども著す。死後の大正一五年、『三富朽葉詩集』刊行。名は「くちは」と訓む（「きゅうよう」とも）。

544 **さば** それならば。

草稿詩篇（一九三一年—一九三二年）

551 **Tableau Triste** 〔仏〕悲しき情景。

554 **サイアウが馬** 塞翁が馬。人生の幸不幸は簡単には定まらないというたとえ。

556 **Etudes** 〔仏〕習作。

558 **藍玉** 藍の葉を発酵させたあと、臼でつき、乾燥して固めた染料。

558 **瀝青色《チャン》** 黒あるいは濃褐色。瀝青はアスファルトのこと。

558 **ドレスデン** ドイツ東部の都市。この地に近いマイセンは磁器の産地として有名。

560 **松井須磨子** 女優（一八八六—一九一九）。島村抱月の芸術座に属し、「復活」のカチューシャなどを演じた。抱月の死後、後を追って自殺。

561 **石版刷屋** 印刷業者の一種。

563 **ブルターニュ** フランス北西部の地方名。

564 **瓜だなも** 瓜だね。「なも」は終助詞。

565 **影象レコード** 「影象」は「影像」で、イメージの意か。「映像」がレコードのように次々に現れることをいったものか。

566 **輪廻し** 輪を転がす子供の遊び。

566 **ひきあけ方** 明け方。

568 **十月の十二日** この夜、本門寺では万灯行列が行われ、信徒は団扇太鼓を叩き、題目を唱えながら参詣する。

568 **池上の本門寺** 東京都大田区にある寺院。日蓮が死去した地で、特に盛大に法会が行われる。

573 **おぞましし**　「おぞまし」か。「恐ろしい」「厭わしい」。

573 **心なよらか**　心がなよやかであるさま。柔らかくしなやかなさま。「らか」は接尾語。

573 **Matin**　〔仏〕「朝」あるいは「午前」の意。

575 **蒼穹**　「蒼穹」（青い空）の意。

ノート翻訳詩

583 **長嘯**　声を長く引いて詩や歌を吟ずること。

585 **Qu'est-ce que c'est?**　〔仏〕それ（あるいは、これ）は何か？

586 **坐臥常住**　「常住坐臥」と同じ。日常。普段。

587 **孟夏**　夏の初め。

草稿詩篇（一九三三年―一九三六年）

589 **轣轆**　車のきしる音。

589 **轎**　「かご」または「のりもの」。ここでは小車を指すか。

589 **三原山**　伊豆大島にある火山。昭和八年女学生が自殺し、以後、この山で自殺が相次ぐ。

592 **嶢角**　中原の造語か。「嶢」は、けわしいこと。「磽确」（土地が痩せているさま）の誤記とも。

592 **寒み**　「寒いので」の意か。

594 **小倉服**　小倉織で仕立てた洋服。

594 **七里結界**　仏教語で、魔障を入れないため七里四方に境界をもうけること。ここでは「七里四方」の意か。

597 **権柄的**　権力にものをいわせて行うさま。横柄なさま。

599 **ぞめき**　浮かれ騒ぐこと。

604 **水無河原**《みずなしがはら》　水無川の河原。水無川は、山口市吉《よ》敷《しき》の中央を貫流する、吉敷川の異名。

606 **いぢくねた**　心のねじけた。

606 **絨毛**《わくげ》　和毛《にこげ》の意。絨毛〔ワタゲ〕のことか。

614 **かねぶん**　コガネムシ科の甲虫。かなぶん。

615 **京浜街道**　第一京浜道路（京浜国道）を指すか。

616 **こごめばな**　溝蕎麦《みぞそば》。雪柳やおみなえしの異名に用いるところもある。

617 **音く**　誤植か。「青く」「暗く」「杳く」などか。

627 **却に**　「却って」「却々」「別に」などの誤植か。

631 **キンポーゲ**　金鳳花。初夏に黄色い花を咲かせる。

631 **羅宇**「ラウ」または「ラオ」。きせるの火皿と吸い口をつなぐ竹の管。

632 **駱駅**　人馬や車の往来が絶えないさま。「絡繹」とも。

633 **夕空霽れて、涼蟲鳴く**　唱歌「故郷の空」（大和田建樹作詞）。正しくは「夕空はれて　あきかぜふき　つきかげ落ちて　鈴虫なく」。

633 **背戸**　家の裏の出入口。

635 **省線**　鉄道省の管理に属する鉄道。日本国有鉄道（現在のJR）の前身。

649 **遅疑**　疑って、ぐずぐずすること。

650 **ストイック**　禁欲的・克己的な人。

657 **てんきりみんぢやて**　まるっきり見ないのだよ。

660 **おほけなき**　分不相応な。似つかわしくない。

661 **あをによし奈良の都の**　『万葉集』に小野老の和歌に「青丹よし奈良の都は咲く花のにほふがごとく今盛りなり」がある。

661 **やまとやまと〜**　『古事記』日本武尊の歌に「大和は　国のまほろば　畳なづく青垣　山籠れる　大和しうるはし」がある。

662 **静御前**　平安末期の女性で、源義経の側室。

662 **金時**　平安中期の武士坂田金時。幼名は金太郎。山姥の子で、相模国足柄山に育ち、のち源頼光に仕えたとされる。

663 **平の忠度**　平安末期の武将。『平家物語』に忠度の詠んだ「行き暮れて木の下陰を宿とせば花やこよひの主ならまし」という和歌が見える。

668 **堆藁**《としやく》　稲束・藁などを積み重ねたもの。

676 **吐**《ほ》**き出して**「はきだして」に同じ。

678 **現識**　中原は「表象」、または「現在の意識」の意で用いている。評論「芸術論覚え書」などに用例がある。本来は仏教語。

680 **如何なれば〜**　ランボーの詩篇「少年時」からの引用。

684 **大島**　伊豆大島。伊豆諸島最大の島。

684 **観音岬**　観音崎。神奈川県の三浦半島東端にある岬。

687 **めぐしき**　愛らしい。

688 **桑名**　三重県北東部の地名。蛤で有名。

693 **ワットマン**　厚く純白な上等の画用紙。

693 **あえかな**　かよわく、なよなよした。

700 **せぐくまる**　背を丸める意。ここでは「切実な」「胸に迫る」の意か。

703 **なんでがな**　「何で」の意。「がな」は副助詞。

704 **土耳古人**《ダッチ》　通例「トルコ人」と訓む。「ダッチ」はオランダ人のこと。

704 **そねまし目**　ねたましい目付き。中原の造語か。

714 **不忍ノ池**　東京の上野にある池の名。

714 **広小路**　上野広小路。不忍池の南東側にある大通り。

草稿詩篇（一九三七年）

726 **オベリスク**　古代エジプトで神殿の左右に建てた、四角い尖った石柱。

726 **桂水**　「桂」は、香木の名。匂いの良い水の意か。

729 **とど**　とどのつまり。結局。

中原中也伝——揺籃

大岡昇平

昭和二十二年一月の或る朝、私は山口線湯田の駅に降りた。小郡で満員の山陽線を捨て、支線の列車が緩やかに椹野川《ふしの》の小さな谷に入って行くにつれ、私は名状しがたい歓喜を覚えた。それは不眠に疲れた私の眼に、窓外の朝の光の中を移る美しい谷間の景色の与える効果であったか、それとも亡友中原中也《ちゆうや》の故郷の家を見るのが、あと一時間に迫ったという期待から来る興奮であったか、私にはわからなかった。

私がこれから訪ねようとする家は、この友が生きていた間は訪れようとはしなかった家である。東京から山口までの距離は別としても、中原と私との交友は、そもそも互いに過去を気にかけるという性質のものではなかった。我々は二十歳の頃東京で識り合った文学上の友達であった。我々はもっぱら未来をいかに生き、いかに書くかを論じていた。そして最後に私が彼に反いたのは、彼が私に自分と同じように不幸になれと命じたからであった。

私も私で忙しいことがあるつもりであった。もっとも何のために忙しいか、中原が何のために自分が不幸であるかを知っていたほどには知らなかったのであるが——そして彼の死後十年たった今日、私に彼の不幸の詳細を知りたいという願いを起させ、私をこうして本州の西の涯まで駆るものが何であるか、それも私はよく知らないのである。

しかし私も四十をすぎて、自分を知らないことがあまり気にかからなくなった。例えば前線で死に直面しながら、私は絶えず呟いた。「未だ生を知らず。いずくんぞ死を知らんや」。こういう不安定の心掛で、私が戦場をくぐり抜けて来られたとすれば、どうして現在平穏な市民生活をそれでやって行けないことがあろう。あとはすべて思想の贅沢である。

私の疑問は次のように要約されるであろう。——中原の不幸は果して人間という存在の根本的条件に根拠を持っているか。いい換えれば、人間は誰でも中原のように不幸にならなければならないものであるか。おそらく答えは否定的であろうが、それなら彼の不幸な詩が、今日これほど人々の共感を喚び醒すのは何故であるか。しかし読者は私が急に結論を出すとは思わないで戴きたい。……

湯田は現在山口市に包括され、戸数五百を出ない小さな町である。微量の鉱分を含んだ温泉が湧き、隣接の旧山口市及び周防灘沿岸の工業都市から来る湯治客を待つ小遊興地を形づくっている。

駅前から人家疎らな畑中の道の二丁ばかり西へ行くと早くも温泉旅館の並ぶ一廓に突当る。通行人に訊くとすぐわかった。その一廓の右へ迂回して少し行ったところに、私は容易に中原病院の看板を見出すことができた。

中原家は中也の祖父の代からこの地に外科医を開業していた。昭和三年父君謙助氏の没後、長男中也に家業を継ぐ意志がなかったため、以来病院は他に貸していたが、私の行った時は次々弟呉郎君が成長して末弟拾郎君と共に経営に当っておられた。

病院は低い生垣の向うの前庭に疎らに庭木を配した、むしろ殺風景な木造平家の洋館である。これに中原病院ではなく「農事試験場」の看板が懸っていても私はさして驚かなかったであろう。それほどこの建物の正面は、普通の医院の入口の持つ威厳も愛嬌も具えていなかった。惟うにもと軍医であった父君謙助氏は、その病院を市民的虚飾で飾る必要を認められなかったのであろう。こうした投げやりな無雑作な外観も私には何となく中原にふさわしいように思われた。

出迎えられた医学士呉郎君の風貌も簡単な初対面の挨拶中、別に際立った印象がある筈がない。私はただ私の抱いている中原の幻影の奇怪さに比べて、こうしてかつて中原の踏んだ沓脱を単なる遠来の客として踏み、彼と血を同じくする人物と極めて平凡な会話を交えるのに幾分てれていたにすぎない。

しかしそれから広い縁側を伝って通された母屋の内部には、ちょっと私を驚かせた豊かさがあった。高い天井、大きな建具、その他普通「木口」と呼ばれる日本家屋の内部の一般的印象には、こうした田舎の古い家らしい目立たぬ豪奢があって、それは中原が東京で送っていたゆとりのない生活と奇妙な対照をなしていた。そういえば中原には何処か地主風の鷹揚さがあったのに、私は改めて思い当ったが、しかし私は彼の魂に固有かも知れぬ気高さを、環境を知ったばかりにそこから帰納したがる伝記作者の貪欲を戒めねばならぬ。

やがて六十五、六の小柄な美しい老婆が現われた。母福さんである。謙助氏の亡くなられた後、中也をはじめ四人の男子の教育を遂げられた苦心と緊張の名残は、その物静かな挙止にも窺われる。昭和十二年の秋中也の告別式の時、鎌倉でお目にかかり初対面ではなかったが、私はその顔を見忘れていた。

次弟思郎君はしかし憶えていた。お通夜の晩涙を払って便所から出て来られた姿が眼に残っていたからである。

「私共から見て、兄がこれほど皆さんに集まっていただくような人とは思われぬ」とその時いわれた。中原は東京生活のために中原家の現金財産をほとんど蕩尽していたのである。

思郎君は京大の法科を出られてから某工業会社に勤務せられていたが、任地京城で終戦に会い、今は妻子と共に郷里に帰っておられる。この人が中原家の当主である。

なお中原の次子愛雅《よしまさ》は彼の死の翌年死亡、未亡人孝子さんも数年前再縁されて、現在中原家には中也の直接の遺族は、一人も残っていない。

中也の写真が出された。告別式の時棺の前を飾り、創元社版『中原中也詩集』の巻頭に載せられた、あの無帽背広の半身像である。

十年振りで見る中原の顔は、かつて棺の前で私を打ったと同じくらい強く私を打った。私の彼に対する考えは変った。

生涯を自分自身であるという一事に賭けてしまった人の姿がここにある。常にその決意と力の意識を通して、自己にも他にも向けていた厳しい眼を今撮影室の壁間に移し、諦念を以て世間の前に置き続けたと同じ姿勢を、そのままレンズに曝しているのである。いかにも不幸な人であったが、この不幸は他の同情を拒んでいる。まして伝記作者の売文的同情なぞは――

あゝ　おまへはなにをして来たのだと……

私はかつて中原が故郷の風から聞いたと同じ声をこの写真から聞くように思った。私の青春に決定的な影響を与えたこの友に心で反いて以来幾年、たいていは穏やかでなかった我々の交友の記録に対する悔恨、或いはそのために無為と怠惰の裡に過ぎた歳月に対する悔恨なくしては、私はこの亡友の伝記の筆を取らなかったであろう。

中原家に厄介になった三日間、大袈裟にいえば私は一種の夢遊状態にあったといえよう。私は私の心を黙らせるために、できるだけ伝記作者の冷静と細心を課し、執拗に家族の方々に迫って、中也の生い立ちの詳細を問いただしたが、今手許のノートを見て、今更その内容の貧困と粗雑に驚いている。伝記作者としての私の未熟を別として、結局は私の中の感傷的原因から、私はただうかうかと彼の育った家の空気を吸ってすごしたにすぎなかったらしい。

例えば十五歳の中也が、所謂「思想匡正」のために九州の或る真宗の寺に遣られて帰ってからは、しばらくは廊下を歩く時も便所へ入る時も「なんまいだぶ、なんまいだぶ」を唱えていたという話を聞いてからは、私は廊下に絶えず彼の跫音（体重の関係で成人しても子供のようにひそやかだった彼の跫音）を聞くように思いながら、帰郷すると彼のいつも坐ったという奥八畳の間に坐り続けただけであった。

しかし、この最初の宗教的目醒めについて、中原自身はかなり違った話を私に伝えていた。彼によれば彼がこの寺にやられて得るところがあったのは、ただ親鸞の「ひとを千人殺してんや」という逆説を知っただけであった。彼がその時私に教えた親鸞の人と信仰に関する解釈は、家人の伝える素朴な熱狂とかなり逕庭があり、これもたしかに一問題であるが、たぶん私はこの郷里訪問記ではここまで触れることはできないであろう。

中原がこの寺に送られたのは、大正十一年中学三年の夏休みと冬休みの二回であった。当時彼の家に寄寓していた山口高校生村重某の紹介によったが、今家人は寺が大分県にあり、住職を「トウヨウエンジョウ」と呼んだというほか、所在地も寺号も忘れておられる。大正末期、キリスト教の複雑な教義に対抗するため、『歎異抄』の新解釈を掲げた一派の道場ではなかったかと思われるが、今私は詳しく考える材料を持合せていない。

中原中也は明治四十年四月二十九日現在の中原家で生れた。謙助氏三十二歳福さん二十九歳の最初の子である。当時謙助氏は旅順衛戍病院附軍医として任地にあり、同十一月福さんは夫に中也を見せるため海を渡る。

結婚後七年或いは子無きを憂えておられた矢先とて、両親の喜びは一方ではない。かつ幼少よりすこぶる利発の子であったので、その養育にもひとしお心を注がれた。そのため或いはああいう驕慢な子ができたのではないか、と母福さんは謙遜しておられる。一方中也は父が彼を愛するあまり、遊蕩的な湯田の環境を教育に悪いとして外で遊ぶことを禁じ、また溺死を懸念して水泳を習わせなかったこと等について父を怨んでいた。子に満足される教育を与えるということは、そもそも親という位置からは不可能らしい。しかし中原はこの父について多く懐しさをもって語った。彼がよく話した一つの挿話があるが、それによると或る時父が病気で離室《はなれ》に寝ていた時、母屋で制止をきかずに弟と騒いでいる彼を、父は裸足で中庭の敷石伝いに叱りに来たが、その手には一枚のハンケチが握られていて、父はそれで子供たちを打って帰って行ったそうである。

彼によれば父の厳格さは内心の優しさを隠す仮面なのであった。

謙助氏は明治三十三年柏村氏から入って中原家の女婿となられた人である。山口県厚《あ》狭《さ》郡厚東《ことう》村棚井の農家の産。年少にして東京に出、済生学舎を経て軍医学校に学び、軍医として各地を遍歴、少佐に昇ったが、大正六年依願予備役編入、中原家の家業を継がれた。和歌俳句に親しみ、また軍医学校在学当時校長であった森鷗外に私淑して、福知山連隊に勤務中、その地の新聞に短篇小説を掲載したことがあったそうである。しかし晩年は中也が文学を好むを嫌って、極力これを阻止せんとされた。年と共に青春の夢を失ったか、その毒を知って子のそれに当らざらんことを期されたか、そのいずれかであろう。

中原は中也という名前は鷗外につけて貰ったものだと称していた。当時旅順にあった謙助氏が手紙をもってもとの校長に長男のために、名を乞うたということはあり得ないことではないが、母福さんは全然別の機縁を記憶しておられる。それは当時任地旅順の上官であった軍医大佐中村六也氏の名の頭と尾をとったというのである。中也鷗外命名説と比べて、これは遥かに現実的であり、かつ文字の由来が確実という強味がある。

中原にはちょっと伝説を作る趣味があった。それは彼の自己愛の子供らしい現われとも見られるし、彼はまたいつも自分が他人に誤解されると信じていたから、毒を制するに毒をもってする風の韜晦の理由を持っていたかも知れない。例えば私は偶然中原姓が在原姓と共に古い家柄であることを知り、或る時彼に糺したところ、彼は諾いて二、三怪しげな歴史的な詳細を附け加えたが、その時の彼のいたずらそうな眼附からどうも怪しいと思っていたら、果してこれは出鱈目であった。中也の家がこの歴史的中原と何らかの関係があるのは全然不可能ではないが、現在彼の家に伝わっているところでは何ら積極的な根拠はない。

中也の家は元来湯田の西北二キロの吉敷《よしき》村にあった毛利の閥族、通称吉敷毛利の臣である。中也の祖父の代はすでにその分家であるが、二人兄弟があった。兄助之は学を志し、家を弟政熊に譲って単身出京、刻苦して英語塾に学び、後横浜鉄道局に通訳として勤務したが、明治十九年病を得て三十七歳で没した。中原の母福さんはその一人娘である。政熊氏は後中原家の現在地に移って医を開業した。子がなかったので兄の遺児福さんを養い、更に謙助氏の才幹を見込んで婿養子とした。こうして中也の幼時には家に二人の祖母があった。即ち福さんの生母スヱさんと政熊氏の妻こまさんである。

こまさんはカトリックの信者であった。中也は幼時よくこの祖母に連れられて山口の公教会へ行ったが、無神論者であった父がこれを嫌いしだいに足が遠のいた。後年中原がカトリックの教義に示した関心は、この幼年時の印象と関連があるかも知れないけれど、今私は多く考える材料を持たない。少なくとも中原はこのことについて特に語らなかった。なお当時山口の公教会にいたのは有名なビリオン師であり、昭和五年四月中原は旧師を奈良に訪れている。

弟呉郎君の解釈によれば、中也の性格は、農から出て立志した父の「荒い血」と、封建の臣として淘汰された母方の「静かな血」の混淆から成るものである。或いはそういうこともいえるであろう。

父謙助氏の写真はかなり沢山残されている。中原の顔立は明らかにこの父から多くを受けている。短頭、丸顔、横に広い大きな額、高い鼻、大きい少し不整形な口、殊にその眼は中也と同じく大きく、ややモノメニアックな光を帯びて輝く。

すべてその医師という職業から来る理智的な嘲笑的な或るもの、軍人精神と結合した出世した農民の持つ意志と力と意識、これらがたぶん中也に伝えられた「荒い血」をなすものであった。

しかも溺死を惧れて子に水泳を禁ずる、ここには世の常の親の愛情だけでは量り切れぬ、病的な想像力が認められる。

中原がこの父を愛していたことは前に書いた。それは普通血縁による動物的愛情を超えた一種の精神的な共感に達していたように思われる。

――竟に私は耕やさうとは思はない！
ぢいつと茫然《ぼんやり》黄昏の中に立つて、
なんだか父親の映像が気になりだすと一歩二歩歩きだすばかりです（「黄昏」）

このただ自己の力のみに頼って、封建的な中原家の大家族の女婿として、その自尊心を保持し続ける父の姿は、彼が十七の時断乎詩人たらんと志を立てて郷関を出て以来、幾度か彼を襲った意気沮喪の瞬間に、彼を力づける強い映像だったのではあるまいか。

昭和三年五月父が死んだ時、彼は帰省しなかった。これには彼が当時家へは大正十五年以来日本大学へ行っていることになっていたが、実は入学さえしていなかったので、母から着て帰るように指定された学生服を持っていなかったという実際的な理由があったのであるが、私は別に彼の父に対する感情の或る厳しいニュアンスを認めることができるように思う。「父が死んだからといって、子が葬式に帰らなければならないという理由はない」と彼は書いて来たそうである。彼はランボーに倣って「人でなし中也」と署名することもできたろう。

昭和十二年彼が東京の生活に行き詰りを感じ、しばらく妻子と共に郷里で暮すことにきめた頃、或る日彼は阿部六郎氏を訪ねた。話がたまたま亡父のことに及んで、突然中原は大粒の涙をハラハラと落したそうである。中原が父のことを語って落涙したのはこれがはじめてで、阿部氏の印象に残った。

おそらく中原は今志を得ず郷里に帰らねばならぬ自分を、父に肖ざるものと感じたのではあるまいか。彼の詩人としての自覚にはこうした出世主義の入る余地は全然なかったのであるが、しかもなお彼が絶えず内心にこの種の刺戟を感じていなければならなかったとすれば、これ以上傷ましいことはない。

大正三年湯田の小学校に入るまで彼は父の転任に従って居所を変えた。まず明治四十年十一月旅順、四十二年三月広島、明治四十五年九月金沢、大正三年学齢に達して始めて父の任地に追随するを止めて、三月母弟と共に湯田に帰った（なお福さんは最初子が無かったにもかかわらず、中也から始めて六人の男子をあげられた。うち二人は夭折した）。同年四月下宇《しもう》野令《のりよう》小学校へ入学、成績は抜群であった。

今私がこれを書いている室の壁には、今度中原家から戴いて帰った中也の字が掲げてある。それは彼の尋常四年の時の習字帖の一部で、「流早く水清し古き杉数千年」という文句であるが、私はこの幼稚ながら一種の正確さの現われている少年中原の筆跡に、彼がその不幸と混乱に満ちた生涯を通じて失わなかった健康な節度ある精神を窺うのが楽しい。習字は彼の種々な早熟な才能の中でも最も早く目醒めたものの一つであった。そして成年になってからも、彼の筆は堅苦しいほどきちんとした手本的な正確さを持っていて、それは彼の無雑作なボヘミアン風の生活態度と奇妙な対照をなしていた。しかし彼は自分の字を自慢しなかった。書は俺の才能の中で一番進歩しないものだ、と常々思郎君にいっていたそうである。

これに反して奇妙なことであるが、作文は最も発達が遅かった。特に下手というほどではなかったが、他の学科において卓れているに比べて、これは長く一般の水準を出なかったらしい。

もしあの世というものがあって、中原が私が今こう書いているのを雲の間からでも見ているとしたら、彼はきっと「それは散文だからさ」というだろうと思う。中原は散文は最後まで上達しなかった。彼が時たま新聞や雑誌に発表した散文には、彼の詩の整然たる節度と比べて、考えられないくらいのたどたどしさがあって、むろんそこには彼の人柄の一種の味が出てないことはなかったが、概して彼の抱懐した独創的な観念を、歪め傷つけ滑稽にするために筆をとっているとしか思えないものであった。

明らかに彼は一生人と普通の交際ができなかったように、思想に最低限の一般的形態を与える技術ないし忍耐を持っていなかったのである。

しかし「詩なら来い」と彼はまたいうだろうと思う。『在りし日の歌』の後記に彼は書いている。「詩を作りさへすればそれで詩生活といふことが出来れば、私の詩生活は既に二十三年を経た」。彼がこれを書いた時は三十一歳であったから、つまり九歳に溯るわけである。

この年代は彼が昭和十一年に書いた「詩的履歴書」という年譜風の断片によって裏附けされる。それはまさに彼が数え年九歳であった大正四年から始まっているのである。

大正四年の初め頃だつたか終り頃であつたか兎も角寒い朝、その年の正月に亡くなつた弟を歌つたのが抑々の最初である。学校の読本の、正行が御暇乞の所、「今一度《ひとたび》天顔を拝し奉りて」といふのがヒントをなした。

この詩稿は残っていないが、さして惜しむには当るまい。それはまずこの年頃の優等生が誰でも試みる替歌の域を出ないものと思われるが、むろん重要なのは中原がどんなものを書いたかではなく、彼がこれを自分の生涯の重大な事件、詩的履歴の第一歩と見做していたということである。そういう詩的自我を自分で作り、自分の経歴と結びつけて思い出で刺戟し、育くんでいたことである。昭和十一年の暮、愛児を失って彼の神経が混乱した時、家人はしばしば「正行」の名が彼の口から洩れるのを聞いた。

詩人の才能はあらゆる才能と同じく天賦である。我々は習練によってそれに到ることはできないし、その成因要素を文芸評論をもって再構成し得るかどうかも疑わしい。我々はこの言語結合の能力が一個人に帰せられるという不思議を素直に認容するほかはない。その能力はあらゆる能力と同じく、内容は無であり、思想とはなり得ないものである。

しかしこの能力の所有者がその能力の自覚を持つことは自然である。そしてその能力行使の際の不正確な記憶に基づき、その性質について二、三の観念を形成することは可能であるし、自己の裡にその能力の歴史を空想するのも勝手である。

詩精神が何らかの反抗なくしては成立し得ない世紀に生れ、分化し尽した文学の諸分野において、絶えず自己の詩人としての存在理由を気にしていた中原は、自分が当然なるべくして詩人となったということを証明しようとした。彼が現在詩を書けるということでは満足せず、昔も今と同じく詩人であったということを証明しようと欲していた。

昭和九年『山羊の歌』出版以前の彼の作品は多く制作の日附を欠いている。自分の作品の或る物が別の物より優れているということは許し難く、日附の前後によって価値の斟酌の余地を、自己或いは他人に与える必要を認めなかったからであろう。不満足な作品は容赦なく棄てられた。「大正四年より現今までの制作詩篇約七百、内五百破棄」と彼は書いている(『山羊の歌』『在りし日の歌』収録詩篇計百二、残存する詩稿約二百であるから、これはほぼ事実に近い)。

私は今ここに彼の少年時の詩的経歴を辿るに十分な材料を持っていない。彼が尋常五年の頃から短歌を作って、地方新聞に投書したことはわかっているが、未だそれらの作品を見出すに到っていない。ただ大正十一年中学三年の時友人二人と共に出した『末黒《すぐろ》野《の》』という小歌集に収録された歌二十八首の内六首を知るのみである（同人雑誌『詩園』昭和十四年一月号に右『末黒野』の著者の一人であった山川千冬氏が書かれた回想文に載せられたものである）。

珍しき小春日和よ縁に出で爪を摘むなり味気なき我
幾ら見ても変りなきに淋しき心同じ掛物見つむる心
大山の腰を飛びゆく二羽の鳥秋空白うして我淋しかり
湧く如き淋しみ覚ゆ秋の日の山に登りて口笛吹けば
枯草に寝て思ふまゝ息をせり秋空高く山紅かりき
買物に出かける母に連れられし金沢の歳暮の懐しきかな

この啄木調の幼稚な歌は、後年彼の詩の主調をなした intimité（親しさ）が現われていた点で我々にとって貴重であるが、こういう歌と四年後の「朝の歌」の間に、何故ダダイスムの擾乱が挿まれねばならなかったか、これはまた別の論文の主題となるべきである。

そして中原は自分の短歌について決して語らなかった。

中原が後年我々に語り、また『山羊の歌』において歌った彼の少年時は、彼の短歌に現われた制御された不幸とは全然別のものだった。

夏の日の午《ひる》過ぎ時刻
誰彼の午睡《ひるね》するとき、
私は野原を走つて行つた……

私は希望を唇に噛みつぶして
私はギロギロする目で諦めてゐた……
噫、生きてゐた、私は生きてゐた！　（「少年時」）

ここに二十歳の彼が定着した少年時、大人が眠る時一人目覚めている少年、希望を「噛みつぶし」ながら、しかも生きている少年——これはすでに彼の数々の希望を粉砕した世間に抗議する現在の彼の反映であり、絶望と矜持をもって、昔も今と同じく自分が正しかったと確かめたいと欲する現在の祈願の象徴にほかならぬ。失われた希望に対する哀惜は彼の初期の詩篇の支配的な主題であった。

むかし私の胸摶つた希望は今日を、
厳めしい紺青《こあを》となつて空から私に降りかゝる。　（「春」）

昔の　馬の　蹄《ひづめ》の　音よ　（「秋の日」）

かつて中原の胸摶った希望がどんな希望であったかは知る由もない。おそらくは「目的のない僕ながら、希望は胸に高鳴つてゐた」（「ゆきてかへらぬ」）そういう生命の自覚にすぎなかったであろうか。重要なのはその希望が何に関するものであったかではなく、彼がかつてその正しさを疑ったことがなく、いわば彼という人間の存在の理由であるかのように響かせたことである。さらに現在の無為と倦怠の裡にあって、絶えず自己集中と前進の機縁として、自己に思い出を強いていたことである。

神童としての華々しい出発にもかかわらず、彼の小学校時代は、彼自身にとって満足すべきものではなかった。彼の成績は級で最も優秀であったが、教師は二番とした。その理由として教師が母福さんに告げたところによると、「一番にすると増長するから」であった。福さんはとうとうこれを最後まで中也にいわなかった由であるが、そのため彼は小学校在学中常に劣等感に苦しめられ、それは中学の入学試験でその競争者を抜いた時まで彼を去らなかった。

わが生は、下手な植木師らに
あまりに夙く、手を入れられた悲しさよ！　（「つみびとの歌」）

私は中原がこの「下手な植木師」の中に、その優しい両親を算えていなかったことを希望せずにはいられないが、どうも私の希望はかなえられそうもない。父が彼を鍾愛するあまり、水泳を習わせず、外で遊ばせなかったことを前に書いた。母は彼によれば理想家であって、何事にも「一層よく」を求める結果、彼に不当の圧迫を加える大人と協調して、知らず識らずその子を苦しめていたのである。

由来わが血の大方は
頭にのぼり、煮え返り、滾《たぎ》り泡だつ　（「つみびとの歌」）

外では子供があんなに楽しそうに遊んでいるのにどうしてそれに加わってはいけないのだろう。自分の遊びたいという欲望の存在に照らして何という不合理なことだろう。教師は驕慢を戒め、母がそれに協力する。力ある者がどうして力の意識を持ってはいけないのか――たぶんこうしたものが少年中原の頭を去来した論理だったろう。そしてこの思考の型は大体彼の生涯を通じて変らなかった。

中原は生涯すべてを自己の力を通して見、強い、独創的な自分、弱い、雷同的な他人という簡明な対立から世間を眺めた。彼は絶えず世間に傷ついたが、どんなにひどい打撃を受けても、結局バネがもとに戻るように、自分の力の意識に立ち帰らずにはいられなかった。彼の不幸は世間に傷ついたその仔細にあるのではなく、いつも自己を取り返さざるを得なかったということにあった。そして相変らずそこから出直して、同じ傷を受けなければならなかったということにあった。

私は中原の少年時が事実こういう不幸の連続であったか、どうかは知らない。ただ二十歳の彼がそう思っていたということを知るだけである。重要なのは常に現在の彼であって、過去はその影にすぎない。そして現在の彼が移るに従って、彼の少年時の映像も変る。

彼の詩が「朝の歌」の倦怠から発して、「修羅街輓歌」の対世間苦悩を経て、人生からの一種の乖離を示して来るに一致して、彼の追想は、少年時の覚醒からさらに溯って幼年時の仮睡に入って行く。

三歳の記憶

縁側に陽があたつてて、
樹脂《きやに》が五彩に眠る時、
柿の木いつぽんある中庭《には》は、
土は枇杷いろ　蠅が唸く。

稚厠《おかわ》の上に　抱へられてた、
すると尻から　蛔虫《むし》が下がつた。
その蛔虫が、稚厠の浅瀬で動くので
動くので、私は吃驚しちまつた。

あゝあ、ほんとに怖かつた
なんだか不思議に怖かつた、
それでわたしはひとしきり
ひと泣き泣いて　やつたんだ。

あゝ、怖かつた怖かつた
――部屋の中は　ひつそりしてゐて、
隣家《となり》は空に　舞ひ去つてゐた！
隣家は空に　舞ひ去つてゐた！

人が三歳の記憶を残し得るかどうかは問題であろう。後の記憶が前の記憶を蔽うのはよくあることであり、我々はまずこの詩に何ら「伝記的」価値をおき得ないのであるが、むろん重要なのはこの詩が記録として正しいかどうかということではなく、彼がここで組立てた画面が三十歳の彼の心であるということである。彼が自ら造った童話的な自然に酔い、「ひと泣き泣いてやった」という無償の行為に喜びを見出そうとしていることである。むろん彼はこれが人間に許された最も純粋な行為であるというだろう。

私のいうところが多少空想的に見えるならば、私はもっと強力な証拠をあげることができる。それは彼自身が昭和十年の秋書いた断片であって「一つの境涯」という当時彼の計画していたらしい自伝の最初の章をなすと見られるものであるが（「世の母びと達に捧ぐ」という傍題がある）、そこで彼の探求しているのは、実に一歳の時の記憶である。

　寒い、乾燥した砂混りの風が吹いてゐる。湾も、港市——その家々も、たゞ一様にドス黒く見えてゐる。沖は、あまりに稀薄に見える、其処では何もかもが、たちどころに発散してしまふやうに思はれる。その沖の可なり此方《こちら》と思はれるあたりに、海の中からマストがのぞいてゐる。そのマストは黒い、それも煤煙のやうに黒い、——黒い、黒い、黒い……それこそはあの有名な旅順閉塞隊が沈めた船のマストなのである。

「その時はまだ、閉塞隊の沈めた船のマストが、海の上にのぞいてをつた」と、貧血した母の顔が、遠くの物でも見てゐるやうに、それでもそんな時にはなにか生々と、後年私の生後七ヶ月の頃のことを語つて呉れるたびに、私は何時も決つて右のやうな風景を心に思ひ浮べるのである。つまり私は当時猶赤ン坊であつた。私の此の眼も、憶かに一度は、そのマストを映したことであつたらうが、もとより記憶してゐる由もない。それなのに何時も私の心にはキチッと決つた風景が浮ぶところをみれば、或ひは潜在記憶とでもいふものがあつて、それが然らしめるのではないかと、埒もないことを思つてみてゐるのである。
明らかにこのマストの記憶は錯覚であるが、くどいようだが、これが彼の現在の心の象徴であり、その明らかなしるしであることが大切なのである。この八枚ばかりの断片の欄外に中原は「右を苦境時代のはじめに用ふ」と書いている。「苦境時代」とは彼が『山羊の歌』の出版が思うように行かなかった昭和七、八年の交を指すのであろうが、海から突出た沈没船のマスト、これは彼の現在の不幸と、悔恨の目に見えた映像であった。

しののめの、
よるの海にて
汽笛鳴る——
心よ、起きよ
目を覚ませ。

と彼はまた同じ文章の中へ書き入れている（これはまた「童謡」と題して篋底に秘めら

れていた詩の一節でもある)。

汽笛は彼の詩ではよく鳴った。それは或いは山の端を行く母親に似た汽車の笛であり(「夏の日の歌」)或いは、

思へば遠く来たもんだ
十二の冬のあの夕べ
港の空に鳴り響いた
汽笛の湯気《ゆげ》は今いづこ
　　　　　　　　(「頑是ない歌」)

彼が十二歳の時いた湯田の町へは汽笛の音は聞えて来なかった。だからこれは彼が五歳の時広島で聞いた汽笛であったか、一歳の時門司で旅順へ船待してる時鳴った汽笛かであった。いずれも彼自身に対する警告の如き、自己集中と闘いへの誘いであった。

「あんよが出来出す一寸前頃は、一寸の油断もならないので、行李の蓋底におしめを沢山敷いて、その中に入れといたものだが、するとそのおしめを一枚々々、行李の外へ出してそれを全部出し終ると、今度はまたそれを一枚々々、行李の中へ入れたものだよ。」――さう云はれてみれば今でも自分のそんな癖はあつて、なにかそれは exchange といふことの面白さだと思ふのだが、それは今私も子供を持つて、やつと誕生を迎へたばかりのその子供が、硝子のこちらでバアといつて母親を見て、直ぐ次

には硝子のあちら側からバアといつて笑ひ興ずる、そのことにも思ひ合はされて自分には面白いことなのだが、それは何か化学的といふよりも物理的な気質の或物を現はしてはゐまいか。その後四つ五つとなると、私は大概の玩具よりも遥かに釘だの戸車《とぐるま》だのケサンだのを愛するやうになるのだが、それは何かうまく云へないまでも大変我乍ら好もしいことのやうに思はれてならない。何かそれは、現実的な理想家気質——とでもいふやうなものではないのか。

中原が提出しているexchangeという言葉は、複雑な想像の才能を駆使する者が、自らの作業についてどんなに単純な観念を抱くものであるかを示す良き例であり、おそらくあらゆる芸術家の意識の底にあるものと思われる。しかしここで「現実的な理想家気質」の自覚に飛躍しているところに、中原の才能の広い人生的意味があり、それは彼の場合詩句を通じてしか具象化されなかったので、彼は常に書こうとし、焦立っていた。

　しかも彼が死の前頃こういう自覚を自分の幼年時代の記憶とわが子の映像の裡に探さなければならなかったところに彼の弱さがあり、不幸があった。現実は、彼自身の現在を含めて、彼には常に不当に見え、醜悪に見えた。「人間は、醜悪なものだ。然るに人々はさうは思つてをらぬ。かくて人生は、愚劣なものだ。詩の世界より他に、どんなものも此の世にあるとは思はない」と彼は死の五か月前に書いている。これが人のよくいう彼の人生からの「乖離」の意味であった。

中原はその長子、昭和九年十月十八日に生れた長男文也を溺愛した。その愛は一種迷信的なものにまで進み、子供の生れた後「全国天気一ヶ月余もつゞく」と大事そうに記録している。彼は一日中子供と遊んで飽きなかったが、それは子供と一緒に戯れるのではなく、ただ子供を眺めるのを楽しむという遊び方だったそうである。

菜の花畑で眠つてゐるのは……
菜の花畑で吹かれてゐるのは……
赤ン坊ではないでせうか？

いゝえ、空で鳴るのは、電線です電線です
ひねもす、空で鳴るのは、あれは電線です
菜の花畑に眠つてゐるのは、赤ン坊ですけど

私は有名な「春と赤ン坊」を全部引用しなくてもいいであろう。またここに眠っているのは、赤ん坊ではなく中原自身にほかならぬ、とまた附け加える必要もないであろう。文也は昭和十一年十一月十日三歳をもって夭折した。中原の悲歎やる方なく、神経衰弱が昂じた。彼が自分と子供との間にどこまでけじめをつけていたかは疑わしい。

しかし中原の後期の詩に「死んだ児」のテーマは文也の死の以前から現われていたこ

とは注意を要する。

空は死児等の亡霊にみち （「含羞《はぢらひ》」）

と彼が歌ったのは昭和十年十二月以前である。この時すでに、彼は愛児の死を予見していたのであろうか、彼自身の死を予見していたのであろうか。

子供を愛することと自分を愛することの区別がつかなくなった状態、子供の姿が疑うべくもない自己の現在の姿であり、同時にその悔恨の象徴でもあるそういう心の状態、しかも自己の死を予感したように、子供の死を予感せざるを得なかった心の状態、その心の前で子供が実際死んでしまったとすれば、ここにはたしかに人を発狂させるに十分ではないが、必要なだけの条件がある。

中原が「恰度立札ほどの高さに」自分の骨を見たらしい、椹野川の河原*に私は立った。衰えた中国山脈の花崗岩迸入《ほうにゅう》地塊が、ようやく周防高原の古生層と秋吉台の石灰岩に分水嶺を譲って、無数の台地と丘陵に分割されようとするあたり、三瓶山から小郡へ貫く断層に添って、幅二十間に足りない小さな椹野川も、北東に深く喰い入って、北に押しつけられた分水嶺から延長十数里、その両岸に細く長い流域を発達させている。西から北へこの流域の背景を形づくる山地は、日本海と霧と寒気を偲ばせる暗い雲に覆われているが、東と南は防府徳山へ続く準平原性の丘陵が起伏して、北の威容に応える南の柔和を示している。大陸から吹きつける北の寒気が、初めて瀬戸内海の温暖に迫り同化されるあたりである。中国山脈の南辺に沿って来た年平均十四度の等温線はこの附近から北に曲って日本海に出で、山陰を蔽う一五〇〇―二〇〇〇ミリの雨量地帯はここを通って北九州に及ぶ。

湯田の側から見渡す川の対岸には近々と松に蔽われた丘陵が続き、身投げ姫の伝説を持つ姫山が優美な曲線を河原まで滑り下している。狭い岸には一面に竹が繁って、一月には珍しい暖かい風に（中原の詩に常に吹いていた風）一帯の薄緑をしなわせて、この風景全体に何ともいえない女性的な柔らかさを与えている。流れは早く水底の砂礫を鳴らして、囀るような瀬音を空中に漲している。この河原は京都風に造園された山口市の後《うしろ》河原と共に、中原がその故郷で最も愛した場所であった。

もう一つ中原が愛したという権現山に私は呉郎君と登った。秋吉台地がこの流域に突出させた尾根の鼻に、権現を祭ったためにこの名のある、百段ほど石段を重ねた高地である。

ここから私は山口市、湯田を含む一帯の盆地を見晴らすことができた。

左方は山口市の低い甍が山裾から山裾まで埋めて流域を堰いている向うに、谷はなおも右へ右へと曲って、赫い地肌を露出した右岸の丘陵の蔭にかくれてしまう。背景には依然として暗澹たる雲をかぶった分水嶺が続き、涯は鼠一色の北海の霧と寒気にまぎれ

入る。その先に中原が、

水は、恰も魂あるものの如く、
流れ流れてありにけり。

……………………寒い寒い日なりき。

と歌った「長門峡」があり、さらに、

海にゐるのは、
あれは人魚ではないのです。
海にゐるのは、
あれは、浪ばかり。

そういう虚しい「北の海」がある。
しかし眼下の冬は暖かく音もなく息づいて、松と枯木の山に囲まれた静かな冬の午後に懶げに、南の方瀬戸内海の光の方へ滑り伸びるように拡がって行く。旧山口市の甍の尽きるあたりから、平行して谷を挟んでいる低山は権現山と姫山を結ぶ線を越すと急に退いて、石を敷いたように囲っている湯田の町をはずれると幅二里ほどの盆地を拡げる。その西南の端れに、小さな谷の襞にかくれるように寄り合っているのが中原家発祥の地、今も中原の骨の眠る長楽寺がある吉敷村である。一面の耕地を隔てて対岸は嵯峨野に似たゆるい勾配を造り、傾いた田畑の矩形を積み上げて、松に蔽われた山際に至る。

空には鳥の声もなく、自然はすべて冬の枯れた装いのままながら、時節外れの暖かさに心のみ浮き浮きとして来る、そういう変な一月の昼であった。

この美しい流域、この小さな静かな谷に、中原は八歳から十六歳まで生きていたのである。

温泉の町、小さな遊蕩の町、しかし華やかさも冒険もない湯治客の遊蕩の町、その名の示す通り、最初田から湯が湧いて、疲れた腰を延ばすために来る近郷の農民を待って開けた田園風な遊蕩の名残の消えない町、その無邪気な懶惰に父の軍人的な厳格と母の家附娘の慎重が対抗して少年の感覚を屋内につなぎとめようとする。両親の理想主義は隣接山口市の封建主義によって鼓舞され助長される。封建が明治政府の官僚机の上に移行したにすぎぬ地方政治の中心。県庁、学校、病院を除き大建築のない町、一本の工場の煙突もない町、そこでは大人は子供に昔ながらの戒律を課するほか手を持たない——これが中原の少年時代を培った人間的雰囲気であった。明らかに「ひとを千人殺してんや」と思っている少年を止めるよりは、出て行けとすすめる雰囲気である。

谷が揺藍のように少年の不幸と反抗を揺すぶったとて何になろう。慰安的自然も却って対照によって、燃える血を湧き立たせるばかりであったろう。十二の年に中原がこの狭い谷に突然「港の汽笛」の鳴り響くのを聞いたとして何の不思議があろう。

船の汽笛は頭の中で鳴ったけれど、汽車の汽笛はたしかに現実にこの風景を引き裂いて鳴った。山口線はこの谷を貫いて、西南の方、海へ出て行く。その方で谷を囲む山々は、追い合うように互の先端をかぶせ合って、しだいに低く、茜色に染まる空の下、海と港と街と煙突のあるあたりに消えて行く。しかも北方にはいつも北海の暗雲が脅かすように、促すように、外国兵のように屯して――

出口があること、これがこの小さな美しい自然の欠点であった。

十七歳の中原はこの盆地を出て、もっと大きな盆地、京都へ移った。しかしその盆地も南は開いて逸楽的な阪神に向いていた。

十九歳、東京へ出た。広漠たる東京にはもはや自然はなく、ただ人間だけがいた。都会人は常に自己を偽り、物欲しげな鼻唄で「現実的な理想家」をあしらった。長い戦いの後に中原は疲れた。

中原が文学以外で交際った友人は皆、彼がいつも望郷の念に駆られていたと伝えている。かつて「ギロギロする眼で諦めてゐた」故郷の自然の中に、今や彼は休息と慰安を期待する。

心置なく泣かれよと
年増婦《としま》の低い声もする

あゝ　おまへはなにをして来たのだと……
吹き来る風が私に云ふ　（「帰郷」）

しかしこの不安な魂に故郷で安らぎがあったと空想してはならない。親鸞の逆説に感銘して以来、このexchangeの腕を持った理想家は、いつも人生を裏返して表現することばかり考えていたのであって、故郷もいわば彼の不安と苦悩の「裏」の意味しかなかったのである。

しかし自然は人より先にあり、人を取り巻き閉じ籠めている。或る時中原が故郷の自然に見出した意味が何であれ、それは彼の人間の受動的な部分、つまり情念に痕跡を残していた。彼の詩にある一種の優しさと親しさは、椹野川の瀬音と姫山の曲線と平行であった。環境が人間を決定するのはここまでである。

＊「骨」の本文は「小川のへり」であるから、今日ではこれは椹野川の河原ではなく、中原家の墓のあった吉敷村長楽寺の墓地の裏を流れる水無川と見られている。

中原中也の思ひ出

小林秀雄

1

鎌倉比企ヶ谷妙本寺境内に、海棠《かいだう》の名木があつた。こちらに来て、その花盛りを見て以来、私は毎年のお花見を欠かした事がなかつたが、先年枯死した。枯れたと聞いても、無残な切株を見に行くまで、何んだか信じられなかつた。それほど前の年の満開は例年になく見事なものであつた。名木の名に恥ぢぬ堂々とした複雑な枝ぶりの、網の目の様に細かく分れて行く梢の末々まで、極度の注意力を以つて、とても言ひ度げに、繊細な花を附けられるだけ附けてゐた。私はF君と家内と三人で弁当を開き、酒を呑み、今年は花が小ぶりの様だが、実によく附いたものだと話しあつた。傍で、見知らぬ職人風の男が、やはり感嘆して見入つてゐたが、後の若木の海棠の方を振り返り、若いのは、やつぱり花を急ぐから駄目だ、と独り言のやうに言つた。蝕《むしば》まれた切り株を見て、成る程、あれが俗に言ふ死花といふものであつたかと思つた。中原と一緒に、花を眺めた時の情景が、鮮やかに思ひ出された。今年も切株を見に行つた。若木の海棠は満開であつた。思ひ出は同じであつた。途轍もない花籠が空中にゆらめき、消え、中原の憔悴《せうすゐ》した黄ばんだ顔を見た。

中原が鎌倉に移り住んだのは、死ぬ年の冬であつた。前年、子供をなくし、発狂状態に陥つた事を、私は知人から聞いてゐたが、どんな具合に恢復し、どんな事情で鎌倉に来るやうになつたか知らなかつた。久しく殆ど絶交状態にあつた彼は、突然現れたのである。私は、彼の気持ちなど忖度《そんたく》しなかつた。私は、もうその頃心理学などに嫌気がさしてゐた。たゞさういふ成行きになつたのだと思つた。無論、私は自分の気持ちなど信用する気にはならなかつた。嫌悪と愛着との混淆《こんかう》、一体それは何んの事だ。私は中原との関係を一種の悪縁であつたと思つてゐる。大学時代、初めて中原と会つた当時、私は何もかも予感してゐた様な気がしてならぬ。尤も、誰も、青年期の心に堪へた経験は、後になつてからそんな風に思ひ出し度がるものだ。中原と会つて間もなく、私は彼の情人に惚れ、三人の協力の下に（人間は憎み合ふ事によつても協力する）、奇怪な三角関係が出来上り、やがて彼女と私は同棲した。この忌はしい出来事が、私と中原との間を目茶々々にした。言ふまでもなく、中原に関する思ひ出は、この処を中心としなければならないのだが、悔恨の穴は、あんまり深くて暗いので、私は告白といふ才能も思ひ出といふ創作も信ずる気にはなれない。驚くほど筆まめだつた中原も、この出来事に関しては何も書き遺してゐない。たゞ死後、雑然たるノオトや原稿の中に、私は、「口惜しい男」といふ数枚の断片を見付けただけであつた。夢の多過ぎる男が情人を持つとは、首根つこに沢庵石でもぶら下げて歩く様なものだ。そんな言葉ではないが、中原は、そんな意味の事を言ひ、さう固く信じてゐたにも拘《かゝは》らず、女が盗まれた時、突如として僕は「口惜しい男」に変つた、と書いてゐる。が、先きはない。「口惜しい男」の穴も、あんまり深くて暗かつたに相違ない。

　それから八年経つてゐた。二人とも、二人の過去と何んの係はりもない女と結婚してゐた。忘れたい過去を具合よく忘れる為、めいめい勝手な努力を払つて来た結果である。二人は、お互の心を探り合ふ様な馬鹿な真似はしなかつたが、共通の過去の悪夢は、二人が会つた時から、又別の生を享《う》けた様な様子であつた。彼の顔は言つてゐた、彼が歌つた様に――「私は随分苦労して来た。それがどうした苦労であつたか、語らうなぞとはつゆさへ思はぬ。またその苦労が、果して価値のあつたものかなかつたものか、そんな事なぞ考へてもみぬ。とにかく私は苦労して来た。苦労して来たことであつた！」。併し彼の顔は仮面に似て、平安の影さへなかつた。

　晩春の暮方、二人は石に腰掛け、海棠の散るのを黙つて見てゐた。花びらは死んだ様な空気の中を、まつ直ぐに間断なく、落ちてゐた。樹蔭の地面は薄桃色にべつとりと染まつてゐた。あれは散るのぢやない、散らしてゐるのだ、一とひら一とひらと散らすのに、屹度《きつと》順序も速度も決めてゐるに違ひない、何んといふ注意と努力、私はそんな事を何故だかしきりに考へてゐた。驚くべき美術、危険な誘惑だ、俺達にはもう駄目だが、若い男や女は、どんな飛んでもない考へか、愚行を挑発されるだらう。花びらの運動は果しなく、見入つてゐると切りがなく、私は、急に厭な気持ちになつて来た。我慢が出来なくなつて来た。その時、黙つて見てゐた中原が、突然「もういゝよ、帰らうよ」と言つた。私はハッとして立上り、動揺する心の中で忙し気に言葉を求めた。「お前は、相変らずの千里眼だよ」と私は吐き出す様に応じた。彼は、いつもする道化た様な笑ひをしてみせた。

二人は、八幡様の茶店でビールを飲んだ。夕闇の中で柳が煙つてゐた。彼は、ビールを一と口飲んでは、「あゝ、ボーヨー、ボーヨー」と喚いた。「ボーヨーつて何んだ」「前途茫洋さ、あゝ、ボーヨー、ボーヨー」と彼は眼を据え、悲し気な節を付けた。私は辛かつた。詩人を理解するといふ事は、詩ではなく、生れ乍らの詩人の肉体を理解するといふ事は、何んと辛い想ひだらう。彼に会つた時から、私はこの同じ感情を繰返し繰返し経験して来たが、どうしても、これに慣れる事が出来ず、それは、いつも新しく辛いものであるかを訝《いぶか》つた。彼は、山盛りの海苔巻を二皿平げた。私は、彼が、既に、食欲の異常を来してゐる事を知つてゐた。彼の千里眼は、いつも、その盲点を持つてゐた。彼は、私の顔をチロリと見て、「これで家で又食ふ。俺は家で腹をすかしてゐるんだぜ。怒られるからな」、それから彼は、何んとかやつて行くさ、だが実は生きて行く自信がないのだよ、いや、自信などといふケチ臭いものはないんだよ、等々、これは彼の憲法である。食欲などと関係はない。やがて、二人は茶店を追ひ立てられた。

中原は、寿福寺境内の小さな陰気な家に住んでゐた。彼の家庭の様子が余り淋し気なので、女同士でも仲よく往き来する様になればと思ひ、家内を連れて行つた事がある。

真夏の午後であつた。彼の家がそのまゝ這入つて了ふ様な凝灰岩の大きな洞窟が、彼の家とすれすれに口を開けてゐて、家の中には、夏とは思はれぬ冷い風が吹いてゐた。四人は十銭玉を賭けてトランプの二十一をした。無邪気な中原の奥さんは勝つたり負けたりする毎に大声をあげて笑つた。皆んなつられてよく笑つた。今でも一番鮮やかに覚えてゐるのはこの笑ひ声なのだが、思ひ出の中で笑ひ声が聞えると、私は笑ひを止める。すると、彼の玄関脇にはみ出した凝灰岩の洞穴の縁が見える。滑らかな凸凹をしてゐて、それが冷い風の入口だ。昔こゝが浜辺だつた時に、浪が洗つたものなのか、それとも風だつて何万年と吹いてゐれば、柔らかい岩をあんな具合にするものか。思ひ出の形はこれから先きも同じに決つてゐる。それが何が作つたかわからぬ私の思ひ出の凸凹だ。

中原に最後に会つたのは、狂死する数日前であつた。彼は黙つて、庭から書斎の縁先きに這入つて来た。黄ばんだ顔色と、子供つぽい身体に着た子供つぽいセルの鼠色、それから手足と足首に巻いた薄汚れた繃帯、それを私は忘れる事が出来ない。

2

汚れちまつた悲しみに
今日も小雪の降りかかる
汚れちまつた悲しみに
今日も風さへ吹きすぎる

中原の心の中には、実に深い悲しみがあつて、それは彼自身の手にも余るものであつたと私は思つてゐる。彼の驚くべき詩人たる天資も、これを手なづけるに足りなかつた。彼はそれを「三つの時に見た、稚厠《おかは》の浅瀬を動く蛔虫《むし》」と言つてみたり、「十二の冬に見た港の汽笛の湯気」と言つてみたり、果ては、「ホラホラ、これが僕の骨だ」と突き付けてみたりしたが駄目だつた。言ひ様のない悲しみが果しなくあつた。私はそんな風に思ふ。彼はこの不安をよく知つてゐた。それが彼の本質的な抒情詩の全骨格をなす。彼は、自己を防禦する術をまるで知らなかつた。世間を渡るとは、一種の自己隠蔽術に他ならないのだが、彼には自分の一番秘密なものを人々に分ちたい欲求だけが強かつた。その不可能と愚かさを聡明な彼はよく知つてゐたが、どうにもならぬ力が彼を押してゐたのだと思ふ。人々の談笑の中に、「悲しい男」が現れ、双方が傷ついた。善意ある人々の心に嫌悪が生れ、彼の優しい魂の中に怒りが生じた。彼は一人になり、救ひを悔恨のうちに求める。汚れちまつた悲しみに……これが、彼の変らぬ詩の動機だ、終りのない畳句《ルフラン》だ。

彼の詩は、彼の生活に密着してゐた、痛ましい程。笑はうとして彼の笑ひが歪んだそのまゝの形で、歌はうとして詩は歪んだ。これは詩人の創り出した調和ではない。中原は、言はば人生に衝突する様に、詩にも衝突した詩人であつた。彼は詩人といふより寧ろ告白者だ。彼はヴェルレエヌを愛してゐたが、ヴェルレエヌが、何を置いても先づ音楽をと希ふところを、告白を、と言つてゐた様に思はれる。彼は、詩の音楽性にも造形性にも無関心であつた。一つの言葉が、歴史的社会にあつて、詩人の技術を以つてしても、容易にはどうともならぬどんな色彩や重量を得て勝手に生きるか、こゝに自ら生れる詩人の言葉に関する知的構成の技術、彼は、そんなものに心を労しなかつた。労する暇がなかつた。大事なのは告白する事だ、詩を作る事ではない。さう思ふと、言葉は、いくらでも内から湧いて来る様に彼には思はれた。彼の詩学は全く倫理的なものであつた。この生れ乍らの詩人を、こんな風に分析する愚を、私はよく承知してゐる。だが、何故だらう。中原の事を思ふ毎に、彼の人間の映像が鮮やかに浮び、彼の詩が薄れる。詩もたうとう救ふ事が出来なかつた彼の悲しみを想ふとは。それは確かに在つたのだ。彼を閉ぢ込めた得態の知れぬ悲しみが。彼は、それをひたすら告白によつて汲み尽さうと悩んだが、告白するとは、新しい悲しみを作り出す事に他ならなかつたのである。彼は自分の告白の中に閉ぢこめられ、どうしても出口を見附ける事が出来なかつた。彼を本当に閉ぢ込めてゐる外界といふ実在にめぐり遇ふ事が出来なかつた。彼も亦叙事性の欠如といふ近代詩人の毒を充分に呑んでゐた。彼の誠実が、彼を疲労させ、憔悴させる。彼は悲し気に放心の歌を歌ふ。川原が見える、蝶々が見える。だが、中原は首をふる。いや、いや、これは「一つのメルヘン」だと。私には、彼の最も美しい遺品に思はれるのだが。

秋の夜は、はるかの彼方に、
小石ばかりの、河原があつて、
それに陽は、さらさらと
さらさらと射してゐるのでありました。

陽といつても、まるで硅石か何かのやうで、
非常な個体の粉末のやうで、
さればこそ、さらさらと
かすかな音を立ててもゐるのでした。

さて小石の上に、今しも一つの蝶がとまり、
淡い、それでゐてくつきりとした
影を落としてゐるのでした。

やがてその蝶がみえなくなると、いつのまにか、
今迄流れてもゐなかつた川床に、水は
さらさらと、さらさらと流れてゐるのでありました……

中原中也年譜

明治四〇年（一九〇七）　**〇歳**

四月二九日、山口県吉敷《よしき》郡下宇野令《しもうのりよう》村第三四〇番屋敷（現山口市湯田温泉一丁目）に、父謙助（三〇歳）、母フク（二七歳）の長男として生まれる。当時、謙助は陸軍軍医として中国の旅順に駐屯していた。フクは中也の祖父中原政熊の養女。政熊に子がなかったため、兄の中原助之とスヱの次女フクが養女とされ、後に謙助が婿に迎えられた。政熊は湯田医院を営み、妻コマとともにカトリック教徒だった。結婚当初、謙助は中原姓を名のらず、野村姓、ほどなく柏村姓を称した。一一月、フクは中也を連れて旅順に赴く。明治四二年、謙助、広島衛戍病院付となり、家族は広島へ移る。四三年、次男亜郎《あろう》生まれる。四四年、四歳の時広島女学校附属幼稚園に入園。三男恰三《こうぞう》生まれる。四五年、謙助、歩兵第三五連隊付となり、金沢に移る。大正二年、六歳のとき北陸女学校附属第一幼稚園に入園。四男思郎《しろう》生まれる。

大正三年（一九一四）　**七歳**

三月、謙助が朝鮮に転任したため、中也は母・弟たちとともに山口に帰る。四月、下宇野令尋常高等小学校に入学。まもなく周囲から神童と呼ばれるようになる。

大正四年（一九一五）　**八歳**

一月、弟亜郎四歳で死去。後年中也は、このとき亡弟を歌ったのが最初の詩作としている（「詩的履歴書」）。両親の躾が厳しく、倉に閉じ込められたり、川での水泳を禁じられる。一〇月、謙助、政熊・コマと養子縁組をして中原姓となり、中也たちも中原姓と改める。

大正五年（一九一六）　**九歳**

五男呉郎《ごろう》生まれる。

大正六年（一九一七）　**十歳**

四月、謙助は予備役編入となり、中原家の家業

（当時「湯田医院」、後「中原医院」）を継ぐ。

大正七年（一九一八）　十一歳
二月、六男拾郎《じゅうろう》生まれる。五月、山口師範学校附属小学校へ転校。成績は優秀だが、体操・唱歌は不得意。詩の好きな教生後藤信一に遇う。

大正八年（一九一九）　十二歳
作文を得意とし、このころすでに新体詩を制作している。

大正九年（一九二〇）　十三歳
二月、「婦人画報」「防長新聞」に短歌が入選し、以後一九二三年まで「防長新聞」に投稿を続け、八十余首が入選し掲載されている。四月、県立山口中学校に一九三名中一二番の成績で入学。まもなく読書に熱中し、学業を怠るようになり成績が落ちる。この夏と冬、門司の野村家に行く。

大正一〇年（一九二一）　十四歳
四月、井尻民男が寄寓し中也の家庭教師となるが、成績は回復せず、一学期末には一二〇番まで下がる。五月、祖父政熊死去（六六歳）し、教会葬を行う。神父はビリオン神父。夏休みに「中原家累代之墓」および「中原政熊夫婦之墓」の碑銘を書く（「中原家累代之墓」は一九二九年、父謙助の一周忌に建てられた）。この年、弁論部に入部。

大正一一年（一九二二）　十五歳
四月、家庭教師が村重正夫に代わり、ますます文学に熱中する。友人との共著で歌集『末黒野《すぐろの》』を私家版として刊行。「温泉集」と題して二八首を収録。この夏休み中、大分の西光寺（浄土真宗・住職は東陽円成）で修養生活を送る。帰宅後しばらくは「南無阿弥陀仏」を頻繁に唱える。十二月、再び西光寺へ一人で行く。

大正一二年（一九二三）　十六歳
三月、山口中学を落第。四月、京都の立命館中学第三学年に編入。「大正十二年春、文学に耽りて落第す。京都立命館中学に転校する。生れて始めて両親を離れ、飛び立つ思ひなり」（「詩的履歴書」)。この後、京都を転々と移る。秋、高橋新吉の詩集『ダダイスト新吉の詩』を読んで感銘。十二月、「大空詩人」と呼ばれた永井叔《よし》の紹介で、劇団「表現座」の女優、長谷川泰子を知る。

大正一三年(一九二四)　十七歳

四月、立命館中学第四学年に進級。この月、北区大将軍西町椿寺南裏に転居。立命館中学講師富倉徳次郎を知る。同月、長谷川泰子と同棲を始める。「ノート1924」の使用を開始。このころ、正岡忠三郎を知る。七月、正岡の紹介で京都に来た詩人富永太郎を知る。「彼より仏国詩人等の存在を学ぶ」(「詩的履歴書」)。十月、このころ、富永太郎の下宿近くに転居。以後頻繁に往来。この年、ダダイズムの詩や、小説、戯曲の習作がある。秋、「詩の宣言」を執筆。十一月、富永の村井康男宛書簡に「ダヾイストとの amitie に淫して四十日を徒費した」との言及があり、このころから二人の関係は悪くなっていく。十二月、富永太郎帰京。

大正一四年(一九二五)　十八歳

三月十日、長谷川泰子とともに上京。戸塚に下宿。早稲田高等学院、日本大学予科を受験する予定だったが、受験日に遅刻するなどして受けられなかった。その後帰省して、東京で予備校に通う許可を得る。四月、富永太郎の紹介で小林秀雄を知る。五月、小林の家の近く、高円寺に転居。一〇月「秋の愁嘆」を書く。一一月、富永太郎死去、二四歳。同月、泰子、小林のもとへ去る。中也は中野に転居。しかし、その後も中也・小林・泰子の「奇怪な三角関係」(小林秀雄)は続く。この年の暮か翌年初めごろ、宮沢賢治の詩集『春と修羅』を購入、以後愛読書となる。

大正一五・昭和元年(一九二六)　十九歳

二月「むなしさ」を書く。四月、日本大学予科文科に入学。五—八月にかけて「朝の歌」を書く。九月、家に無断で日大を退学。その後、アテネ・フランセに通う。一一月「夭折した富永」を「山繭」に発表。この年「臨終」を書く。

昭和二年（一九二七）　二十歳
春、河上徹太郎を知る。八月二〇日、『富永太郎詩集』（私家版）刊行。「無題（疲れた魂と心の上に……）」。九月に辻潤、一〇月に高橋新吉を訪問。一一月、河上の紹介で作曲家諸井三郎を知り、音楽団体「スルヤ」との交流始まる。この年、「ノート小年時」の使用を開始。

昭和三年（一九二八）　二一歳
一月「幼なかりし日」を書く。同月、スルヤ同人の作曲家内海《うつみ》誓一郎を知る。三月、小林秀雄の紹介で大岡昇平を知る。五月、「スルヤ」第二回発表会で「臨終」「朝の歌」（諸井三郎作曲）が初演される。同月、父謙助死去、五一歳。喪主であったが、母フクの意向に従い参列しなかった。五月、小林は長谷川泰子と別れ、奈良へ去る。泰子はその後もたびたび中也と会うが、二人は再び同居することはなかった。同月、阿部六郎を知る。九月、大岡昇平の紹介により安原喜弘を知る。同月、下高井戸に転居。関口隆克、石田五郎と共同生活を始める。一二月「女よ」を書く。

昭和四年（一九二九）　二二歳
一月「幼年囚の歌」。同月、阿部六郎の近く、渋谷に転居。四月、河上徹太郎・阿部六郎・安原喜弘・古谷綱武・大岡昇平らと同人誌「白痴群」を創刊。翌年六月発行の六号で廃刊になるまで「寒い夜の自我像」「修羅街輓歌」「妹よ」など、後に『山羊の歌』に収録される二十余篇を発表。四月中旬、渋谷百軒店で飲食後、帰宅途中で民家の軒灯のガラスを割り、渋谷警察署の留置所に一五日間拘留される。五月、泰子と京都へ行く。七月、古谷綱武の紹介で彫刻家高田博厚を知る。高田のアトリエの近く、中高井戸に移転後頻繁にアトリエに通う。高田の紹介で「生活者」九月号に、「月」他六篇、続いて一〇月号に「無題」（後、「サーカス」と改題）他五篇を掲載。これらのほとんどは『山羊の歌』に収録。この年から、ヴェルレーヌ「トリスタン・コルビエール」（「社会及国家」一一月号）など、翻訳の発表始まる。この年、「ノート翻訳詩」の使用開始。

昭和五年（一九三〇）　二三歳

一月、「白痴群」第五号発行。四月、「白痴群」第六号をもって廃刊。五月、「スルヤ」第五回発表会で「帰郷」「失せし希望」（内海誓一郎作曲）「老いたる者をして」（諸井三郎作曲）が歌われる。八月、内海誓一郎の近く、代々木に転居。九月、中央大学予科に編入学。フランス行きの手段として外務書記生を志し、東京外国語学校入学の資格を得ようとした。秋、吉田秀和を知り、フランス語を教える。一二月、長谷川泰子、築地小劇場の演出家山川幸世の子茂樹を生み、中也が名付け親となる。

昭和六年（一九三一）　二四歳

この年から翌七年まで詩作はほとんどなし。二月、高田博厚渡仏。長谷川泰子とともに東京駅で見送る。四月、東京外国語学校専修科仏語に入学。五月、青山二郎を知る。七月、千駄ヶ谷に転居。九月、弟恰三死去、一九歳。戒名は秋岸清涼居士。葬儀のため帰省。一〇月、小林佐規子（長谷川泰子）「グレタ・ガルボに似た女性」の審査で一等に当選。冬、高森文夫を知る。

昭和七年（一九三二）　二五歳

四月、『山羊の歌』の編集を始める。五月頃から自宅でフランス語の個人教授を始める。六月、『山羊の歌』予約募集の通知を出し、一〇名程度の申し込みがあった。七月に第二回の予約募集を行うが結果は変わらなかった。八月、宮崎の高森文夫宅へ行き、高森とともに青島、天草、長崎へ旅行する。この後、馬込町北千束の高森文夫の伯母の淵江方に転居。高森とその弟の淳夫が同居。九月、祖母スヱ（フクの実母）が死去、七四歳。母からもらった三〇〇円で『山羊の歌』の印刷にかかるが、本文を印刷しただけで資金が続かず、印刷し終えた本文と紙型を安原喜弘に預ける。一二月、『ゴッホ』（玉川大学出版部）を刊行。著者名義は安原喜弘。このころ、高森の伯母を通じて酒場ウィンゾアーの女給洋子（坂本睦子）に結婚を申し込むが断られる。また高森の従妹にも結婚を申し込み断られる。このころ、神経衰弱が極限に達する。高森の伯母が心配して年末フクに手紙を出す。

昭和八年（一九三三）　二六歳

三月、東京外国語学校専修科仏語修了。四月、『山羊の歌』を芝書店に持ち込むが断られる。五月、牧野信一、坂口安吾の紹介で同人雑誌「紀元」に加わる。六月、「春の日の夕暮」を「半仙戯」に発表。同誌に翻訳などの発表続く。七月、「帰郷」他二篇を「四季」に発表。同月、読売新聞の懸賞小唄「東京祭」に応募したが落選。九月頃、江川書房から『山羊の歌』を刊行する予定だったが実現しなかった。同月、「紀元」創刊号に「凄まじき黄昏」「秋」。以降定期的に詩、翻訳を同誌に発表。一二月、遠縁の上野孝子と結婚（結婚式は湯田温泉の西村屋旅館）。四谷の花園アパートに新居を構える。同アパートには青山二郎が住んでいた。青山の部屋には小林秀雄・河上徹太郎ら文学仲間が集まり、「青山学院」と称された。同月、三笠書房より『ランボオ詩集《学校時代の詩》』を刊行。

昭和九年（一九三四）　二七歳

「紀元」「半仙戯」への詩の発表が続く。二月「四季」「鶺」「日本歌人」などにも多数発表。二月「ピチベの哲学」、六月「臨終」など。九月、建設社の依頼でランボーの韻文詩の翻訳を始める。同社による『ランボオ全集』全三巻（第一巻　詩　中原中也訳、第二巻　散文　小林秀雄訳、第三巻　書簡　三好達治訳）の出版企画があったためである。中也は暮れに帰省し、翌年三月末上京するまで山口で翻訳を続けたが、この企画は実現しなかった。一〇月一八日長男文也が生まれる。一一月、このころ、「歴程」主催の朗読会で「サーカス」を朗読。草野心平を知る。この月、『山羊の歌』出版が文圃堂に決まる。草野の紹介で、高村光太郎に装幀を依頼。またこのころ、草野の紹介で檀一雄を知り、檀の家で太宰治を知る。一二月、高村光太郎の装幀で文圃堂より『山羊の歌』を刊行。限定二〇〇部。うち、市販一五〇部。発送作業後山口に帰省し、文也と対面する。翌年三月まで滞在し、『ランボオ全集』のための翻訳に専念する。

昭和一〇年（一九三五）　二八歳

二月、祖母コマ死去、七二歳。三月、長門峡に行く。帰りの汽車で吐血。三月末、単身上京。このころ、「四季」「日本歌人」「文学界」「歴程」などに詩・翻訳など多数発表。「むなしさ」、「北の海」、「この小児」など。四月、大島に一泊旅行。このころから翌年七月まで、高森淳夫が同居。六月、日本歌曲新作発表会で「妹よ」「春と赤ン坊」（諸井三郎作曲）が歌われる。同月、市谷に転居。七月、このころ、宮崎県日向の高森文夫を訪ね、三、四日滞在。八月、孝子と文也を連れて上京。一一月、「妹よ」（諸井三郎作曲）がJOBKで放送される。一二月、「四季」同人となる。

昭和一一年（一九三六）　二九歳

「四季」「文学界」「改造」「紀元」などに詩・翻訳を多数発表。一月「含羞《はぢらひ》」、六月「六月の雨」（「文学界賞」佳作第一席）、七月「曇天」など。春、文也を連れて動物園に行く。六月、『ランボオ詩抄』を山本書店より刊行。七月、親子三人で「東洋ハーゲンベック大サーカス館」のサーカスを上野へ観に行く。秋、親戚の中原岩三郎の斡旋で日本放送協会への入社話があり面接を受ける。一一月一〇日、文也死去する。死因は小児結核。戒名は文空童子。悲痛甚だしく、忌明けの一二月二八日まで毎日僧侶を呼んで読経してもらう。「文也の一生」を日記に書く。一二月一五日、次男愛雅《よしまさ》生まれる。このころ、「夏の夜の博覧会はかなしからずや」「冬の長門峡」を制作。神経衰弱が昂じる。

昭和一二年（一九三七）　三〇歳

一月九日、千葉市の中村古峡療養所に入院。「千葉寺雑記」また「療養日誌」の使用を開始。入院している間、神経衰弱関連の本を耽読する。自分の病気を省みて「悲しみ呆け」（「療養日誌」）と記述。二月一五日、退院。同二七日、鎌倉の寿福寺境内に転居。「ボン・マルシェ日記」の使用を開始。転居後より鎌倉在住の小林秀雄をはじめ、大岡昇平、今日出海、深田久弥等を頻繁に訪れる。この頃、天主公教会大町教会のジョリー神父を何度か訊ねる。四月、小林秀雄と妙本寺の「日本一の海棠」を見る。同月「また来ん春……」、四月「冬の長門峡」、五月「春日狂想」を発表。七月ごろ、帰郷の意志を友人らに告げる。八月、草野心平がＪＯＡＫで「夏（血を吐くやうな）」を朗読。九月一五日、野田書房より『ランボオ詩集』を刊行。同月、関西日仏学館に入会を申し込む。同月、『在りし日の歌』を編集、原稿を清書し、小林秀雄に託す。一〇月五日、結核性脳膜炎を発病。同六日、鎌倉養生院（現清川病院）へ入院。同二二日永眠。同二四日、寿福寺で告別式。葬儀執行委員は、岡田春吉、関口隆克、佐藤正彰、大岡昇平、高橋幸一、青山二郎、小林秀雄、河上徹太郎。戒名は放光院賢空文心居士。同三一日、郷里山口市湯田で葬式。吉敷の経塚墓地にある「中原家累代之墓」に葬られる。

＊

同年一一月発行の「紀元」、一二月発行の「文学界」「四季」「手帖」。昭和一四年四月発行の「歴程」が追悼特集を組んだ。

昭和一三年（一九三八）

一月一二日、愛雅山口で死去。一歳。

四月一五日、創元社より『在りし日の歌』（装幀青山二郎）が刊行される。六月に再版が発行される。初版六〇〇部、再版三〇〇部。

昭和一四年（一九三九）

中原中也賞（第一次）創設。選考委員は「四季」同人の堀辰雄・津村信夫・室生犀星・三好達治ら。第一回受賞者は立原道造。

昭和二二年（一九四七）

八月、創元社より、大岡昇平編集『中原中也詩集』刊行。

昭和二六年（一九五一）

四―六月、創元社より『中原中也全集』全三巻（編集委員：小林秀雄・河上徹太郎・大岡昇平・阿部六郎・安原喜弘・中村稔）刊行。

昭和三五年（一九六〇）

三月、角川書店より『中原中也全集』全一巻（編集委員：小林秀雄・河上徹太郎・大岡昇平・中村稔）刊行。

昭和四二年（一九六七）
一〇月、角川書店より『中原中也全集』全五巻・別巻一（編集委員：大岡昇平・中村稔・吉田凞生）刊行開始。本巻は翌年四月完結。別巻は一九七一年五月刊。

平成六年（一九九四）
二月、中原中也記念館が山口市湯田温泉の生家跡に開館。一九九五年、中原中也賞（第二次）が創設される。一九九六年、「中原中也の会」設立。

平成一二年（二〇〇〇）
三月、角川書店より『新編中原中也全集』全五巻・別巻一（編集委員：大岡昇平・吉田凞生・中村稔・宇佐美斉・佐々木幹郎）刊行開始。平成一六年一一月別巻完結。

平成一九年（二〇〇七）
四月二九日、中原中也生誕百年を迎える。関係各地で生誕百年記念の催しが開催される。

（本年譜は、『新編中原中也全集』別巻「中原中也年譜」、および角川文庫版『山羊の歌』他の年譜を参考に、編集部で作成した。）

主要参考文献

安原喜弘『中原中也の手紙』（書肆ユリイカ・昭和25年。青土社・平成12年）
北川透『中原中也の世界』（紀伊國屋新書・昭和43年。紀伊國屋書店・新装版昭和53年）
中原思郎『中原中也と祖先たち』（審美社・昭和45年）
中村稔『言葉なき歌―中原中也論』（角川書店・昭和48年。筑摩書房『中原中也―言葉なき歌』・平成2年）
中原フク・村上護編『私の上に降る雪は―わが子中原中也を語る』（講談社・昭和48年。講談社文芸文庫・平成10年）
大岡昇平『中原中也』（角川書店・昭和49年。角川文庫・昭和54年。講談社文芸文庫・平成元年）
河上徹太郎『わが中原中也』（昭和出版・昭和49年）
長谷川泰子・村上護編『ゆきてかへらぬ　中原中也との愛』（講談社・昭和49年。角川ソフィア文庫『中原中也との愛　ゆきてかへらぬ』・平成18年）
秋山駿『知れざる炎―評伝中原中也』河出書房新社・昭和52年。講談社文芸文庫・平成3年）
吉田凞生『評伝中原中也』（東京書籍・昭和53年）
村上護『中原中也の詩と生涯』（講談社・昭和54年）
大岡昇平『生と歌―中原中也その後』（角川書店・昭和57年）
『新潮日本文学アルバム30　中原中也』（新潮社・昭和60年）
佐々木幹郎『中原中也』（筑摩書房「近代日本詩人選」昭和63年）
樋口覚『中原中也　いのちの声』（講談社・平成8年）
青木健『中原中也―盲目の秋』（河出書房新社・平成15年）『中原中也―永訣の秋』（同・平成16年）
佐々木幹郎『悲しみからはじまる』（みすず書房・平成17年）
福島泰樹『中原中也　帝都慕情』（日本放送出版協会・平成19年）

協力・中原中也記念館
写真協力・中原中也記念館
中原克子
若山牧水記念文学館
（敬称略）

中《なか》原《はら》中《ちゅう》也《や》全《ぜん》詩《し》集《しゅう》

中《なか》原《はら》中《ちゅう》也《や》

平成19年 10月25日　初版発行
令和7年 2月5日　20版発行

発行者●山下直久

発行●株式会社KADOKAWA
〒102-8177　東京都千代田区富士見2-13-3
電話　0570-002-301（ナビダイヤル）

角川文庫 14901

印刷所●株式会社KADOKAWA
製本所●株式会社KADOKAWA

表紙画●和田三造

●お問い合わせ
https://www.kadokawa.co.jp/（「お問い合わせ」へお進みください）
※内容によっては、お答えできない場合があります。
※サポートは日本国内のみとさせていただきます。
※Japanese text only

Printed in Japan
ISBN978-4-04-117104-2　C0192

◆◇◇

角川文庫発刊に際して

角川源義

第二次世界大戦の敗北は、軍事力の敗北であった以上に、私たちの若い文化力の敗退であった。私たちの文化が戦争に対して如何に無力であり、単なるあだ花に過ぎなかったかを、私たちは身を以て体験し痛感した。西洋近代文化の摂取にとって、明治以後八十年の歳月は決して短かすぎたとは言えない。にもかかわらず、近代文化の伝統を確立し、自由な批判と柔軟な良識に富む文化層として自らを形成することに私たちは失敗して来た。そしてこれは、各層への文化の普及滲透を任務とする出版人の責任でもあった。

一九四五年以来、私たちは再び振出しに戻り、第一歩から踏み出すことを余儀なくされた。これは大きな不幸ではあるが、反面、これまでの混沌・未熟・歪曲の中にあった我が国の文化に秩序と確たる基礎を齎らすためには絶好の機会でもある。角川書店は、このような祖国の文化的危機にあたり、微力をも顧みず再建の礎石たるべき抱負と決意とをもって出発したが、ここに創立以来の念願を果すべく角川文庫を発刊する。これまで刊行されたあらゆる全集叢書文庫類の長所と短所とを検討し、古今東西の不朽の典籍を、良心的編集のもとに、廉価に、そして書架にふさわしい美本として、多くのひとびとに提供しようとする。しかし私たちは徒らに百科全書的な知識のジレッタントを作ることを目的とせず、あくまで祖国の文化に秩序と再建への道を示し、この文庫を角川書店の栄ある事業として、今後永久に継続発展せしめ、学芸と教養との殿堂として大成せんことを期したい。多くの読書子の愛情ある忠言と支持とによって、この希望と抱負とを完遂せしめられんことを願う。

一九四九年五月三日